L'EXPLORATION DU
TITANIC

Texte traduit de l'anglais par Pierre Reyss

Mise en page et iconographie © 1988 Madison Publications S.A.
Texte © 1988 Ballard et famille.
© 1988 Editions Glénat pour la langue française,
BP 177, 38008 Grenoble Cedex.

ISBN 2.7234.0949.X.
Imprimé en Italie.

L'EXPLORATION DU
TITANIC

par Robert D. Ballard

Illustrations de Ken Marschall

Un livre **Glénat** - Madison Press

NUL N'AVAIT IMAGINE UN SEUL INStant que son premier voyage serait le dernier. Dans la nuit du 14 avril 1912, le paquebot-poste *Titanic* aborda un iceberg dans l'Atlantique Nord. En quelques minutes, l'eau commença d'envahir les étages inférieurs. Moins de trois heures plus tard, les hélices émergeaient. Pour plus de 1 500 personnes demeurées à bord, il n'existait à peu près aucun espoir d'être sauvées. Peu après, le plus grand navire que le monde ait jamais vu commença de s'engloutir et s'abîma au fond des mers.

EN JUILLET 1986, ROBERT BALLARD et deux membres de son équipe plongèrent à une profondeur de près de 4 000 mètres vers le fond de l'Océan, à bord de leur petit submersible. L'année précédente, ils avaient localisé l'épave du *Titanic.* Ils voulaient maintenant examiner de près le navire coulé. En braquant les projecteurs de leur appareil sur l'épave rongée de rouille du navire disparu, les événements de la nuit fatale, 74 ans plus tôt, paraissaient ressusciter.

CHAPITRE UN

L'Origine d'un Rêve

"LE *TITANIC* EST A LA PLONGÉE CE QUE LE MONT Everest est à l'alpinisme" répondit l'orateur, lors d'une conférence organisée par les Ecumeurs des Mers, à la question que je lui posais. "Comme tout plongeur, je rêve d'aller explorer ce vaisseau légendaire. La difficulté est qu'il repose vraisemblablement à trop grande profondeur pour que quiconque puisse jamais le trouver !"

C'était en 1967 et j'étais un jeune membre du Club des "Ecumeurs des Mers de Boston", un groupe de gens qui adoraient la mer et l'excitation de l'exploration sous-marine. Certaines stars du monde sous-marin avaient pris la parole à nos réunions. J'y avais entendu le célèbre explorateur-plongeur Jacques-Yves Cousteau, le Dr Eugénie Clark, spécialiste des requins, et j'avais été complètement ébloui par le récit de leurs aventures. Parfois, ils évoquaient des naufrages et les trésors gisant au fond des mers. En les écoutant, je commençais à rêver de plonger sur la plus grande épave, celle du *Titanic*.

En remontant dans ma mémoire, aussi loin que je puisse m'en souvenir, j'ai toujours été fasciné par la mer. Quand j'étais enfant, élevé en Californie méridionale, je passais mon temps à ramasser des coquillages et des bois flottés que les vagues abandonnaient sur les grèves. J'adorais regarder toutes les créatures qui vivent dans les "laissés de mer", à marée basse. Plus tard, adolescent, au lieu de devenir un fervent de surf comme mes camarades, je m'achetai un appareil de plongée et j'explorais le monde, juste au-dessous de la surface. Une de mes lectures favorites était "20 000 lieues sous les mers" de Jules Verne, racontant les aventures du Capitaine Némo à bord de son légendaire sous-marin, le *Nautilus*.

A l'Université de Hawaï, j'ai étudié la géologie sous-marine. Pour payer ma scolarité, j'ai travaillé comme dresseur de marsouins au Parc d'Attractions Marines. J'y ai passé des heures à enseigner aux dauphins com-

L'entraînement des dauphins au Parc d'Attractions Marines.

ment sauter à travers un cerceau et exécuter divers tours d'adresse.

Après avoir obtenu mon diplôme, j'ai effectué mon service militaire dans la Marine des Etats-Unis. En 1967, ma femme Marjorie et moi avons entassé toutes nos affaires dans notre vieille voiture et nous avons traversé toute l'Amérique jusqu'à Woods Hole, près du Cap Cod, dans l'Etat du Massachusetts, sur la Côte Est. La Marine m'avait affecté au Laboratoire de Recherches des Grandes Profondeurs de l'Institut Océanographique de Woods Hole qui était alors, et est encore, un des Instituts les plus importants au monde pour l'étude des Océans.

Bien que la mer recouvre les deux tiers de la surface de notre planète, nous commençons à peine à la connaître. A Woods Hole, des savants tentent de percer les mystères des océans, aussi bien au-dessus qu'au-dessous de la surface, depuis la météorologie marine et les marées jusqu'aux courants sous-marins, des créatures et de la végétation qui y prospèrent jusqu'aux massifs montagneux des grandes profondeurs.

La première fois où j'ai pensé qu'il serait possible de trouver le *Titanic* se situe en 1973, alors que j'étais membre du Groupe *Alvin*. *Alvin* est un petit engin sub-

mersible triplace. Son nom lui a été officiellement donné en souvenir de Al Vine, un vétéran de l'océanographie mais, familièrement, il était pour nous "*Alvin* l'écureuil", le personnage des contes de fées. *Alvin* ne pouvait plonger au-dessous de 2 000 mètres. Puisque la profondeur moyenne des océans avoisine 4 000 mètres, la Marine décida de lui fabriquer une nouvelle coque en alliage de titane, un métal très résistant, capable de supporter d'énormes pressions et nous permettant ainsi de nous aventurer à plus de 4 500 mètres. Par pur hasard, cette opération de refonte de l'engin fut baptisée : Projet Titanus.

Titane, Titanus, *Titanic* ! Cela commençait à m'obséder ! On pensait alors, généralement, que le *Titanic* gisait par des fonds de plus de 4 000 mètres. Je me rendis subitement compte de ce qu'*Alvin* serait donc utilisable pour me conduire sur l'épave. A partir de ce moment-là, la vision du *Titanic* ne me laissa plus de répit. Je sus que je devais retrouver ce navire.

Pendant douze longues années, j'ai déployé tous mes efforts pour intéresser des gens à mon rêve. J'ai constitué un dossier et tenté sans beaucoup de succès de collecter l'argent nécessaire pour monter une expédition dont le but serait de localiser le *Titanic*.

Au cours de ces mêmes années, j'ai travaillé, comme chercheur scientifique, sur et sous d'autres océans du monde. J'ai fait partie des expéditions qui, en 1973 et 1974, ont exploré la Dorsale Médio-Atlantique, cette colossale chaîne de montagnes qui court en plein milieu de l'Atlantique et qui n'est qu'une branche d'un autre massif, encore plus colossal, qui s'étend tout autour du globe sur quelque 75 000 kilomètres. En 1977, près de l'Archipel des Galapagos, au large des côtes du Chili, nous avons découvert d'énormes vers rouges dont certains mesurent plus de 2,50 mètres de long ! Ces vers géants vivent dans des tubes de calcaire blanc et peuvent survivre malgré l'écrasante pression qui règne à près de 3 000 mètres de profondeur. En 1979, au large de Baja, en Californie, nous sommes tombés sur le phénomène le plus spectaculaire : les extraordinaires "Fumeurs Noirs". Ces geysers sous-marins vomissent des fluides assez chauds pour faire fondre le plomb et les projettent à plus de trente mètres de hauteur !

A ce rythme, j'eus bientôt passé plus de temps sous la surface des océans que tout autre océanographe ! Et le *Titanic* continuait de hanter mes pensées ! Mes collègues se moquaient de cette passion pour ce navire et me conseillaient de me consacrer plutôt à de "vrais" projets scientifiques.

Puis je fis la connaissance de Bill Tantum dont le surnom était : "Monsieur *Titanic*", car il savait tout de ce vaisseau. Je pouvais rester assis à l'écouter, pendant des heures, me raconter l'histoire palpitante de la nuit du naufrage. Nous parlions ensemble de mon espoir de le retrouver. Le *Titanic* commençait à représenter à mes yeux bien plus qu'un simple défi à relever, un but à atteindre au plus profond des océans. Le plus grand désastre marin de tous les temps devenait pour moi un fantastique drame humain.

A partir de cette époque, le *Titanic* me tint, totalement hypnotisé, sous son emprise !

CHAPITRE DEUX

Le Plus Grand Bateau du Monde

S'il avait été dressé sur sa poupe, le *Titanic* aurait dépassé la hauteur de tous les immeubles de son époque.

LA LEGENDE DU *TITANIC* COMMENCE BIEN AVANT que quelqu'un ait eu l'idée de construire ce grand navire. En 1898, quatorze ans avant que le *Titanic* ne sombre, un écrivain américain, nommé Morgan Robertson, avait écrit un livre intitulé "Le Naufrage du *Titan*". Dans ce roman, un paquebot presqu'identique au *Titanic*, baptisé *Titan*, appareillait d'Angleterre pour son voyage inaugural. Ayant à son bord de nombreux passagers riches et célèbres, le *Titan* heurtait un iceberg dans l'Atlantique Nord et coulait. Comme il n'y avait pas assez d'embarcations de sauvetage, des centaines de personnes périssaient noyées. L'histoire du *Titan* préfigurait exactement ce qui allait se produire sur le *Titanic* quatorze ans plus tard. C'était une vision prophétique de terrifiants événements à venir.

En 1907, près de dix ans après la publication du "Naufrage du *Titan*", deux hommes s'attaquèrent aux problèmes que poserait la réalisation d'un navire vraiment titanesque. A la fin d'un dîner, à Londres, alors qu'ils savouraient paisiblement leur café en fumant un cigare, John Bruce Ismay, Président de la Compagnie de Paquebots White Star Line, et Lord Pirrie, Président des Chantiers Navals Harland & Wolff, jetèrent les bases d'un projet de construction de trois immenses transatlantiques. Leur but était de trouver pour la White Star Line un créneau compétitif dans le trafic de passagers sur les lignes de l'Atlantique Nord, avec plusieurs gigantesques navires qui offriraient le dernier cri du luxe et du confort.

Les deux hommes voyaient certainement très grand ! Lorsque ces palais flottants furent finalement construits, ils étaient tellement plus vastes que les autres qu'il fallut édifier de nouveaux quais, dans les ports de chaque côté de l'Atlantique, pour les accueillir. Quatre ans après ce dîner londonien, le premier de ces super-paquebots, l'*Olympic*, appareillait d'Angleterre pour un triomphal voyage inaugural vers New York.

Puis, le 31 mai 1911, le *Titanic* fut lancé aux chantiers Harland & Wolff de Belfast, en Irlande, en pré-sence d'une foule enthousiaste de 100 000 personnes. Des orchestres jouaient et les gens étaient venus de partout pour admirer cette merveille des mers. Vingt-deux tonnes de graisse, de suif et d'huile furent utilisées pour faire glisser la coque jusque dans l'eau. Selon les mots d'un témoin, il avait "un gouvernail aussi haut qu'un chêne... des hélices aussi grandes que les ailes d'un moulin à vent ! Tout était à une échelle hallucinante !"

Pendant les dix mois suivants, le *Titanic* reçut ses équipements et sa mise au point fut poussée jusqu'aux plus infimes détails. Les dimensions définitives et l'opulence de ce nouveau vaisseau étaient époustouflantes ! Il mesurait 268 mètres de long, sensiblement l'équivalent de quatre pâtés de maisons ! Avec ses neuf ponts, il était aussi haut qu'un immeuble de onze étages.

Parmi ses équipements gigantesques, il portait quatre énormes cheminées, chacune d'elles assez large pour permettre à deux trains de se croiser. Pendant la construction, on avait dû enfoncer à coups de marteau pneumatique trois millions de rivets pour assujettir les tôles de sa coque. Ses trois monstrueuses ancres pesaient au total trente et une tonnes, soit le poids de vingt voitures automobiles ! Et, lors de son voyage inaugural, il

(**Ci-dessus**) Une des gigantesques cheminées quittant l'atelier où elle a été fabriquée.

(**Ci-dessus, à droite**) Un attelage de vingt chevaux traînant une des ancres de 15,5 tonnes fondues pour le *Titanic*.

(**Ci-contre, à droite**) Les ouvriers forgeant les anneaux des énormes chaînes d'ancres.

(**Ci-dessous, à droite**) Aux Chantiers Navals de Belfast, le *Titanic* est fin prêt pour son lancement.

emportait assez de vivres pour nourrir les habitants d'une petite ville pendant plusieurs mois !

Comme son nom le proclamait orgueilleusement, le *Titanic* était réellement le plus grand navire au monde. Surnommé le "Spécial pour Millionnaires", les journaux du monde entier disaient de lui "Le Navire-Merveille", "L'Incoulable" ou "Le Fin du Fin du Luxe" !

Le commandement de ce magnifique transatlantique fut confié au meilleur capitaine de la White Star Line, le Commandant Edward J. Smith. Cet homme fier, à la barbe toute blanche, était un chef-né et sa popularité était extrême, tant parmi les membres de l'équipage qu'auprès des passagers. Surtout, au cours de ses trente-huit années d'activité au service de la White Star Line, il n'avait jamais connu d'accident. A 59 ans, le Commandant Smith se disposait à prendre sa retraite après ce dernier voyage, ce qui constituait une consécration éclatante d'une longue carrière en tout point réussie.

Au matin du mercredi 10 avril 1912, les passagers du *Titanic* commencèrent d'arriver à Southampton en vue d'une traversée vers New York. Ruth Becker était éblouie en montant à bord avec sa mère, sa jeune sœur, et son petit frère Richard âgé de deux ans. Le père de Ruth était missionnaire aux Indes. Sa famille se rendait à New York pour faire suivre au jeune Richard un traitement médical spécial, pour le guérir d'une grave

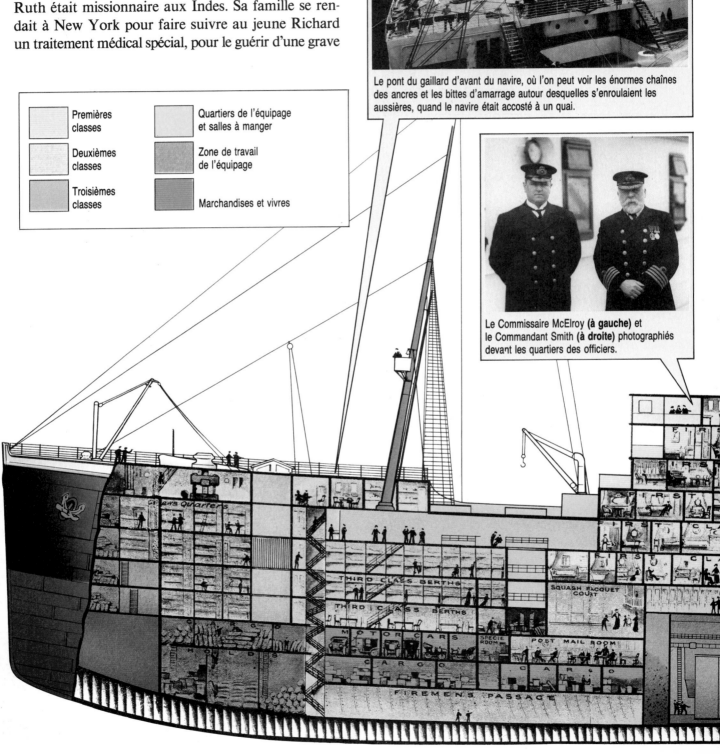

Le pont du gaillard d'avant du navire, où l'on peut voir les énormes chaînes des ancres et les bittes d'amarrage autour desquelles s'enroulaient les aussières, quand le navire était accosté à un quai.

Le Commissaire McElroy (**à gauche**) et le Commandant Smith (**à droite**) photographiés devant les quartiers des officiers.

Premières classes	Quartiers de l'équipage et salles à manger
Deuxièmes classes	Zone de travail de l'équipage
Troisièmes classes	Marchandises et vivres

Le foyer élégant situé sous la verrière aux armatures de fer forgé dominant l'escalier des premières classes.

Le moniteur T. W. McCawley faisant une démonstration de la machine à ramer, dans le gymnase du navire.

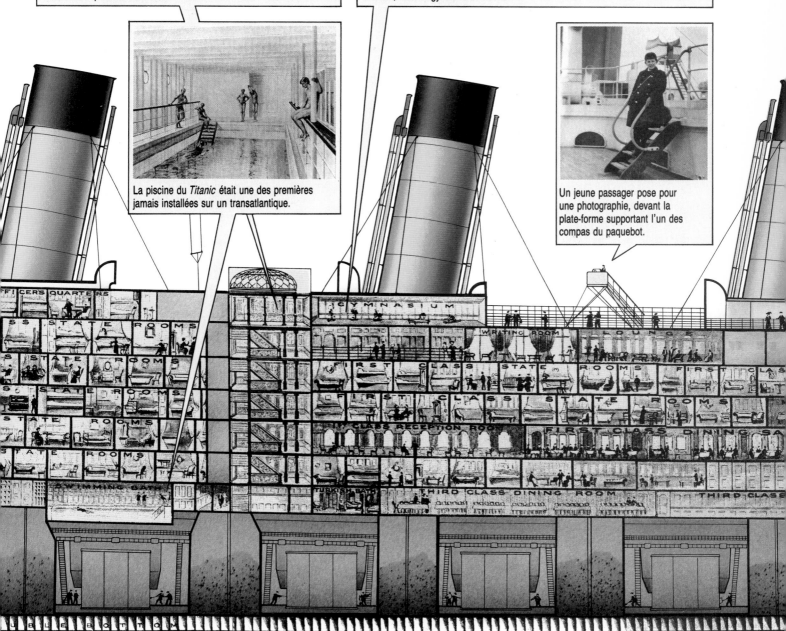

La piscine du *Titanic* était une des premières jamais installées sur un transatlantique.

Un jeune passager pose pour une photographie, devant la plate-forme supportant l'un des compas du paquebot.

maladie contractée aux Indes. Ils avaient pris des billets de passage en seconde classe sur le *Titanic*.

Les douze ans de la jeune Ruth s'émerveillaient devant le paquebot. En poussant le landau de son petit frère sur les ponts, elle s'extasiait sur ce qu'elle voyait : "Tout était neuf, tout neuf !", rappelait-elle. "Notre cabine était comme une chambre d'hôtel, si grande ! La salle à manger était magnifique : avec les nappes et toute cette brillante argenterie qu'on peut imaginer !"

Pendant ce temps, un garçon de 17 ans venant de Philadelphie, Jack Thayer, expérimentait l'élasticité du matelas de son vaste lit dans sa cabine. La suite de pre-

Les chaudières du *Titanic* étaient hautes de plus de cinq mètres.

Les chauffeurs pelletaient jour et nuit le charbon dans le foyer des chaudières dont la vapeur faisait marcher les gigantesques turbines alternatives.

Une mère faisant la lecture à son enfant dans une cabine de deuxième classe.

mière classe que sa famille avait réservée pour elle et la gouvernante était moquettée de peluche, avec des murs aux panneaux de bois lambrissés et sculptés et des lavabos aux cuvettes de marbre. Profitant de ce que ses parents s'installaient dans leur chambre voisine, Jack décida de se lancer dans l'exploration de ce fantastique navire.

Un jeune garçon de six ans joue avec une toupie sur le pont-promenade des premières classes, sous les yeux de son père et de deux autres passagers.

Sur le Pont A, il se promena à travers la Véranda et le Jardin des Palmiers, admirant le mobilier d'osier blanc et le lierre qui grimpait le long des treillis des murs. Sur les ponts inférieurs, Jack découvrit le court de squash, la piscine, et le bain turc décoré comme celui du palais d'un sultan. Dans le gymnase, un moniteur montrait à des passagers les plus modernes appareils d'entraînement sportif : un chameau mécanique sur lequel on pouvait apprendre l'équitation, des bicyclettes fixes et des machines à ramer. La lumière du jour brillait à travers le dôme vitré coiffant le Grand Escalier qu'il emprunta pour rejoindre ses parents dans le salon des premières classes.

Là, pendant que, en retrait, l'orchestre du bord jouait, le père de Jack montra à son fils plusieurs pas-

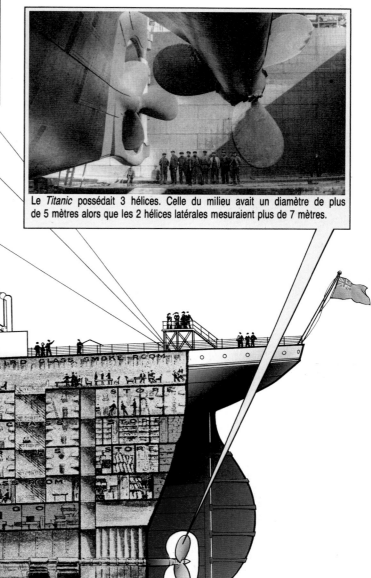

Le *Titanic* possédait 3 hélices. Celle du milieu avait un diamètre de plus de 5 mètres alors que les 2 hélices latérales mesuraient plus de 7 mètres.

(Encadré, à droite) Une photographie, datant de 1912, de Ruth Becker en compagnie de son frère Richard âgé de deux ans. Derrière elle, une cabine de deuxième classe comme celle que la famille Becker occupait. Contre le mur se trouve un lavabo dont les cuvettes basculaient pour évacuer les eaux usées de la toilette.

(Ci-dessous) Des palmiers en pots et un mobilier de rotin agrémentaient le grand salon des premières classes où il était habituel de se réunir avec des amis avant les repas.

sagers de la classe de luxe : "Tiens ! On prétend qu'il est l'homme le plus riche du monde !" dit le père en désignant le Colonel John Jacob Astor qui escortait sa jeune femme. Il reconnut entre autres M. et Mme Straus, propriétaires de Macy's à New York, le plus grand magasin du monde. Le millionnaire Benjamin Guggenheim était présent à bord, de même que d'autres amis des parents de Jack, M. et Mme George Widener ainsi que leur fils Harry. M. Widener avait bâti sa fortune en fabriquant des tramways. Le ménage William Carter, de Philadelphie, également ami des Thayer, fai

sait partie du voyage et, soigneusement arrimée en cale, on avait embarqué la nouvelle limousine Renault qu'il ramenait d'Angleterre.

J. Bruce Ismay, Président de la White Star Line, allait de l'un à l'autre, accueillant les arrivants, bavardant avec eux. Il voulait s'assurer que ses passagers fortunés étaient confortablement installés, qu'ils se sentaient heureux et en sécurité dans son palace flottant.

C'était également vrai pour la mère de Ruth Becker qui, quand elle demanda à un steward ce qu'il fallait penser de la sécurité du bateau, se vit répondre qu'elle pouvait dormir sur ses deux oreilles et qu'il n'y avait aucune raison de s'inquiéter de quoi que ce soit. Le navire était pourvu de compartiments étanches qui lui permettaient de flotter indéfiniment. L'insubmersibilité du paquebot était un sujet courant de conversation entre les passagers.

En 1912, le monde était divisé en classes sociales nettement partagées en fonction du milieu d'origine, de la fortune, et de l'éducation reçue. En raison de ces différences de classes, le *Titanic* ressemblait à un mille-feuilles flottant : la couche inférieure était composée des chauffeurs et soutiers qui suaient sang et eau dans les profondeurs étouffantes des salles de chauffe et des turbines. Juste au-dessus, se trouvaient les passagers de troisième classe, émigrants de toutes nationalités qui partaient chercher en Amérique une nouvelle vie. Un rang plus haut venait la seconde classe où l'on comp-

tait des professeurs, des commerçants ou des gens aux revenus modestes, comme la famille de Ruth. Enfin, tout en haut, le gratin, le "glaçage du gâteau" : les nantis et les aristocrates. La séparation entre chaque classe était considérable. Alors que les plus fortunés voyageaient accompagnés de leurs domestiques, valets et femmes de chambre, avec des montagnes de bagages, la plupart des membres de l'équipage percevaient un salaire si modique qu'il leur aurait fallu des années pour économiser de quoi se payer un billet de passage en classe de luxe !

A midi, le mercredi 12 avril, le *Titanic* leva l'ancre. Les sirènes fixées à ses monumentales cheminées étaient les plus grosses jamais construites. Au moment de l'appareillage, on put les entendre à des kilomètres à la ronde. Descendant majestueusement la rivière Test, sous les regards enthousiastes d'une foule de badauds qui s'étaient rassemblés pour cette occasion, le *Titanic* défilait lentement devant deux navires accostés bord contre bord le long d'un quai. Subitement, les amarres qui retenaient le paquebot *New York* se rompirent avec une série de claquements, comme les détonations d'un feu d'artifice. L'énorme remous causé par le *Titanic* en passant près de lui avait bousculé le *New York* dont l'arrière dérivait vers le *Titanic* ! Jack Thayer regardait avec horreur les deux navires qui se rapprochaient de plus en plus l'un de l'autre. "On aurait dit qu'ils allaient certainement s'aborder", écrivit-il plus tard. "L'arrière n'était pas à plus d'un mètre ou deux de notre flanc. Il a bien failli nous heurter." A la dernière seconde, une rapide manœuvre du Commandant Smith et du patron d'un remorqueur à proximité permit au *Titanic* de passer sans encombre, mais il s'en était fallu de quelques centimètres.

C'était un mauvais présage. Signifiait-il que le *Titanic* était un navire trop grand pour manœuvrer en toute sécurité ? Les vieux routiers des mers pensèrent que ce signe du destin, au commencement d'un voyage inaugural, était de fort mauvais augure.

CHAPITRE TROIS

La Nuit du Destin

JACK PHILIPS, LE PREMIER OPÉRATEUR RADIO DU *Titanic* griffonna rapidement sur son bloc le message qui lui parvenait dans ses écouteurs. "C'est un nouvel avertissement de la présence de glaces !", dit-il avec lassitude à son jeune assistant Harold Bride. "Tu ferais bien d'aller le porter à la timonerie." Les deux hommes étaient sur la brèche depuis de longues heures dans la cabine radio, émettant sans discontinuer pour tenter de purger la pile des messages personnels expédiés par les passagers. En 1912, les voyageurs des paquebots transatlantiques considéraient comme une amusante nouveauté le fait de pouvoir adresser, au lieu des cartes postales traditionnelles, des télégrammes à leurs amis demeurés au pays, depuis le milieu de l'Atlantique Nord.

Bride saisit l'avis de glaces flottantes et sortit sur le Pont des Embarcations. Le temps, en ce dimanche matin, quatrième jour de la traversée inaugurale du

Un opérateur radio au travail dans une cabine de télégraphie sans fil identique à celle du *Titanic*.

Titanic, était clair et ensoleillé, mais froid. Le navire taillait sa route à toute vitesse sur une mer sans ride.

Harold Bride était tout heureux d'avoir trouvé un engagement sur un aussi magnifique paquebot tout neuf. Après tout, il n'avait que vingt-deux ans et n'était que depuis neuf mois opérateur d'un appareil de télégraphie sans fil, comme on disait à l'époque du poste de radio d'un bateau. En pénétrant dans la timonerie, centre nerveux du *Titanic*, il pouvait voir l'homme de barre tenant d'une main ferme la roue du gouvernail qui les conduisait droit sur New York.

Le Commandant Smith était à son poste sur la passerelle et Bride lui remit le télégramme : "Il vient du *Caronia*, Sir. Il fait part de la présence d'icebergs et de banquise devant lui." Le Commandant le remercia, lut le message et le fixa sur le tableau d'ordres pour que les autres officiers de quart en prennent connaissance.

En revenant à la cabine radio, Bride se dit que le Commandant ne paraissait guère s'émouvoir de cet avertissement. Mais il se rappela qu'on lui avait déjà exposé qu'il n'était pas rare de croiser des champs de glace sur les routes transatlantiques au mois d'avril. De plus, quel danger quelques misérables glaçons pouvaient-ils faire courir à un navire réputé incoulable ?

Un peu partout sur les ponts, les passagers se reposaient dans des chaises longues, lisant ou sommeillant. Quelques-uns jouaient aux cartes, certains écrivaient leur courrier, alors que d'autres bavardaient avec des amis. Comme c'était dimanche, des services religieux avaient été célébrés dans la matinée, celui des premières classes présidé par le Commandant Smith. Jack Thayer avait passé la plus grande partie de la journée à se promener sur les ponts, prenant le frais avec ses parents.

Deux autres messages de glaces furent captés, en provenance de navires proches, à l'heure du déjeuner. Dans l'agitation fébrile qui régnait dans la cabine radio,

Le *Titanic* appareillant de Queenstown, en Irlande.

Harold Bride n'eut le temps d'en apporter qu'un seul à la passerelle. Le reste de la journée s'écoula paisiblement. Puis, en fin d'après-midi, la température commença de baisser rapidement. L'obscurité tombait quand le clairon sonna l'appel pour le repas du soir.

Les parents Thayer avaient été invités au dîner offert en l'honneur du Commandant Smith ce soir-là, si bien que Jack dîna seul dans la salle à manger. Après le repas, alors qu'il dégustait un café, il fut rejoint par Milton Long, un autre passager qui retournait aux Etats-Unis. Long avait quelques années de plus que Jack, mais dans l'ambiance détendue de la traversée, ils se lancèrent dans une longue conversation et bavardèrent ensemble pendant environ une heure.

A 19 heures 30, la radio capta trois autre messages indiquant des glaces à environ 90 kilomètres en avant de leur position. L'un d'entre eux provenait du vapeur *Californian*, faisant état de trois grands icebergs. Harold Bride apporta ce télégramme à la timonerie et il en fut de nouveau courtoisement remercié.

Le Commandant Smith était en train de dîner quand cet avertissement fut passé. Il semble qu'il n'en ait jamais été informé. Puis, vers 22 heures, le Commandant pria ses hôtes de l'excuser et monta à la passerelle. Il discuta avec ses officiers de la difficulté de repérer des icebergs par une nuit aussi calme, claire et sans lune, quand aucune brise ne fait lever la moindre écume autour de ces obstacles. Avant de se retirer, le Commandant ordonna aux veilleurs d'être particulièrement attentifs à la survenance de glaces.

Après avoir échangé les potins du bord avec Milton Long, Jack Thayer enfila un manteau et alla se promener sur le pont. "Il faisait beaucoup plus froid, raconta-t-il plus tard, la nuit était brillante, pleine d'étoiles. Il n'y avait pas de lune et je n'avais jamais vu les étoiles scintiller aussi fort... étincelant comme des diamants... C'est par une nuit comme celle-là qu'on se sent

heureux de vivre." A onze heures du soir, il descendit dans sa cabine et se mit en pyjama, après avoir fait sa toilette nocturne.

Dans sa cabine radio, Harold Bride se sentait au bout du rouleau. Les deux opérateurs étaient supposés assurer la permanence vingt-quatre heures sur vingt-quatre, et Bride était allongé sur sa couchette pour prendre un repos devenu indispensable. Phillips était tellement occupé à passer les messages des passagers qu'il ne tint aucun compte du dernier avis de glaces reçu dans la soirée.

Il venait du *Californian* qui, arrêté par une banquise, avait stoppé pour la nuit et se trouvait seulement à 36 kilomètres au nord du *Titanic*. Il était si proche que son appel explosa littéralement dans les oreilles de Phillips. Furieux d'être dérangé par cette intervention puissante, il coupa l'émission de l'opérateur du *Californian* par ces mots : "Taisez-vous ! Taisez-vous ! Je travaille !" La cabine radio avait donc reçu au total sept avertissements confirmant l'existence de champs de glace en un seul jour. Il était évident que des icebergs dérivaient en avant du *Titanic*, sur sa route.

En haut, dans le nid-de-pie accroché au mat de misaine, Fred Fleet avait vu s'écouler une veille sans

(En haut) Un des messages avertissant le *Titanic* de la présence de glaces et diffusé aux autres navires dans les parages.

(Ci-dessus, à gauche) L'opérateur radio Jack Philipps et son assistant, Harold Bride **(à droite)**.

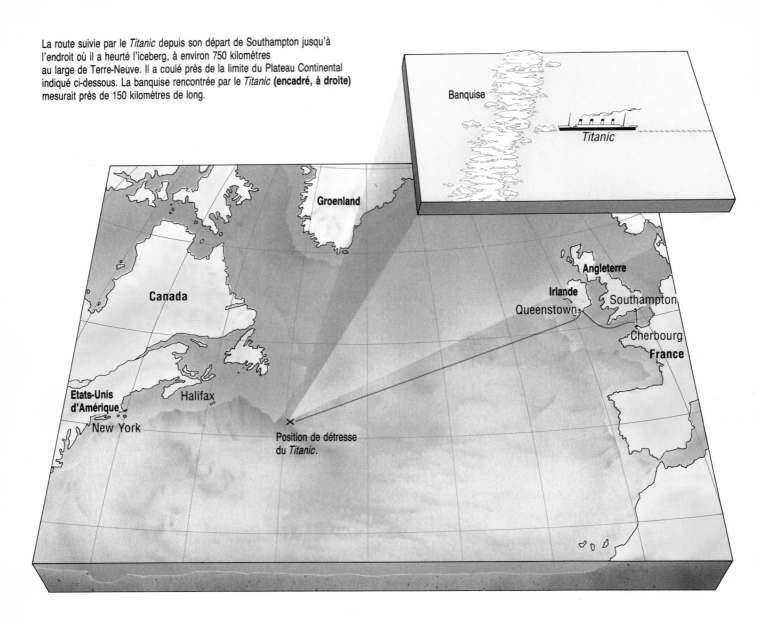

La route suivie par le *Titanic* depuis son départ de Southampton jusqu'à l'endroit où il a heurté l'iceberg, à environ 750 kilomètres au large de Terre-Neuve. Il a coulé près de la limite du Plateau Continental indiqué ci-dessous. La banquise rencontrée par le *Titanic* (**encadré, à droite**) mesurait près de 150 kilomètres de long.

incident. Il était alors minuit moins vingt et, avec l'autre guetteur à son poste près de lui, il attendait l'heure de la relève pour se précipiter en bas avaler une boisson chaude, avant d'aller se glisser dans une couchette douillette. La mer était comme morte ; l'air horriblement froid.

Soudain, Fleet aperçut quelque chose ! Une énorme forme noire surgissait de la nuit, droit devant le *Titanic*. Un iceberg ! Il sonna immédiatement la cloche d'alarme, trois fois, et attrapa le téléphone qui le reliait à la timonerie.

"Qu'avez-vous vu ?", demanda calmement l'officier de quart.

"Un iceberg, droit devant !", répondit Fleet.

Immédiatement l'officier ordonna de virer de bord aussi vite que possible. Il commanda à la salle des machines de battre "en arrière toute" en même temps qu'il actionnait le levier de fermeture des portes des cloisons étanches dans les fonds du navire.

C'était trop tard ! Sans doute avaient-ils évité un choc de plein fouet, mais l'iceberg avait frappé d'un coup en oblique l'avant tribord du *Titanic*. Des tonnes de glace tombèrent sur les ponts du navire alors que l'iceberg raclait tout du long et disparaissait dans l'obscurité. Quelques minutes plus tard, le *Titanic* s'arrêtait.

De très nombreux passagers ne se rendirent pas compte de ce que le navire avait heurté un obstacle. Comme il faisait très froid, presque tout le monde était à l'intérieur et beaucoup s'étaient déjà retirés pour la nuit.

Ruth Becker et sa mère furent réveillées par le silence de mort qui tomba. Elles n'entendaient plus le

L'iceberg racle le long du *Titanic*. Une vue en coupe du navire montre comment les ponts furent éperonnés, en haut comme en bas.
Dans le dessin encadré, on peut voir que la plus grande partie de l'iceberg est immergée sous la mer.

ronronnement sourd et ne percevaient plus les vibrations des machines. Jack Thayer se disposait à se glisser dans son lit quand il se sentit vaciller légèrement. Les moteurs s'arrêtèrent et il fut surpris par ce calme soudain.

Sentant quelque chose d'anormal, la mère de Ruth passa la tête par la porte de sa cabine et demanda à un steward ce qui se passait. Celui-ci répondit que ce n'était rien de grave et Mme Becker retourna se coucher. Toutefois, allongée dans son lit, elle ne pouvait s'empêcher de penser que ça n'allait pas du tout.

Jack Thayer entendit des bruits de galopade et des voix dans la coursive, devant sa cabine de 1re classe. "Je me suis empressé d'endosser un gros manteau et d'enfiler mes pantoufles. Très excité, mais ne pensant nullement qu'il s'était produit un incident sérieux, je prévins mes parents que je montais sur le pont voir ce qui s'y passait."

Sur le pont, Jack aperçut des passagers de 3e classe jouant avec des morceaux de glace tombés à l'avant lorsque l'iceberg avait frotté le long de la coque. Certains disputaient une bataille de boules de neige pendant que d'autres jouaient au football avec des glaçons.

Tout en bas, dans les fonds du navire, il en allait tout autrement. Au moment de la collision avec l'iceberg, un fracas ressemblant à un coup de canon avait retenti dans une chaufferie. Deux soutiers furent aus-

(A l'extrême gauche) Le Commandant Edward J. Smith.

(A gauche) L'architecte naval Thomas Andrews, constructeur du *Titanic*.

La porte d'une des cloisons étanches du *Titanic*. Ces portes pouvaient être fermées automatiquement en actionnant une manette située dans la timonerie, sur la passerelle.

sitôt assaillis par une cataracte furieuse et glacée. Le vacarme et le choc de l'eau froide les firent fuir en toute hâte vers un endroit plus sûr.

Vingt minutes après le heurt, les choses se présentaient sous un jour dramatique aux yeux du Commandant Smith. En compagnie de l'architecte naval Thomas Andrews, il avait effectué une rapide inspection dans les étages inférieurs pour se rendre compte des dégâts. La salle de la poste s'emplissait d'eau et les sacs de courrier flottaient çà et là. La mer s'engouffrait aussi dans certaines cales de l'avant et dans une des chaufferies.

Le Commandant Smith savait que la carène du *Titanic* était divisée en plusieurs compartiments étanches. Il avait été conçu pour demeurer à flot même si les quatre premiers compartiments étaient inondés, mais pas plus ! Or l'eau se déversait dans les *cinq* premiers compartiments... Et quand la mer les aurait remplis, elle déborderait dans les compartiments suivants, l'un après l'autre, jusqu'à ce que tous les fonds soient noyés... et le navire coulerait sans rémission ! Andrews prévint le Commandant que le paquebot pouvait tenir une heure, une heure et demi au grand maximum !

Harold Bride venait de se réveiller quand le Commandant passa la tête par la porte de la cabine radio. "Envoyez un message pour appeler à l'aide.", ordonna-t-il.

"Quel signal dois-je émettre ?", demanda Phillips.

"Expédiez le signal international réglementaire de détresse. Uniquement cela." Et le Commandant disparut. Phillips commença de lancer sur les ondes, en morse, l'appel conventionnel "C.Q.D.", sans y croire vraiment, comme si c'était une plaisanterie. Après tout, nul n'ignorait que le bateau était invulnérable.

Cinq minutes plus tard, le Commandant était de retour auprès de lui. "Quel message envoyez-vous ?", demanda-t-il.

"Le C.Q.D.", répondit Phillips. Bride intervint alors et suggéra d'essayer le récent signal "S.O.S." qui venait tout juste d'être adopté. C'est ainsi qu'ils diffusèrent dans l'éther le nouvel indicatif de détresse pour demander du secours. C'était l'un des premiers S.O.S. jamais lancé par un navire en perdition.

A 0 heure 45, le navire était déjà très enfoncé à l'avant et les premières fusées de détresse furent tirées. **(Encadré)** Le *Titanic* était divisé en seize compartiments étanches. Mais, comme ils n'étaient pas obturés au sommet, l'eau qui avait rempli un des compartiments pouvait, en débordant par-dessus la cloison, se répandre dans le compartiment suivant, et ainsi de suite, jusqu'à ce que le bateau coule.

Ruth et sa famille étaient demeurées dans leurs lits pendant environ un bon quart d'heure après que le steward leur eut dit qu'il n'y avait rien de grave. Mais la mère de Ruth ne pouvait se défaire d'un sentiment d'angoisse en entendant les gens courir et les éclats de voix dans la coursive. Passant de nouveau la tête hors de sa cabine, elle arrêta un steward et lui demanda ce qui se passait.

"Couvrez-vous et venez immédiatement !", dit le steward.

"Avons-nous le temps de nous habiller ?", demanda-t-elle.

"Non Madame. Vous n'avez le temps de rien faire. Endossez vos gilets de sauvetage et montez sur le pont supérieur !"

Ruth aida sa mère à vêtir les enfants rapidement. Mais elles eurent juste le temps de passer un manteau par-dessus leur tenue de nuit et d'enfiler des chaussettes et des chaussures. Dans leur précipitation, elles oublièrent leurs ceintures de sauvetage.

Peu après minuit, le Commandant Smith donna l'ordre de débâcher les embarcations. Le court de squash, à onze mètres au-dessus de la quille, était déjà complètement inondé. Jack Thayer et son père se rendirent dans le grand salon des 1res classes pour tenter de savoir ce qu'il en était exactement. Comme Thomas Andrews, le concepteur du navire, passait par là, M. Thayer l'interrogea. Il répondit à voix basse que le navire n'avait guère plus d'une heure à vivre. Jack et son père ne pouvaient en croire leurs oreilles.

Depuis la passerelle du *Titanic*, on pouvait voir, pas très loin, les feux d'un autre navire, sans doute ceux

(A gauche) Les femmes disent au revoir à leurs maris en prenant place dans les canots de sauvetage sur le pont des embarcations.

(Ci-dessous) Un marin, dans le canot 13, coupe les amarres juste avant que le canot 15 descende sur lui.

(A droite) A 1 heure 40, le gaillard d'avant du *Titanic* est sous l'eau et tous les canots de sauvetage, sauf un, ont été mis à la mer.

du *Californian.* Le Commandant Smith donna alors l'ordre de tirer des fusées blanches de détresse pour attirer l'attention de ce bateau proche. Elles éclatèrent, haut dans les airs, avec une détonation puissante, en produisant une pluie d'étoiles. Mais elles ne donnèrent aucun résultat. Le mystérieux bateau, à quelque distance, ne répondit jamais.

Dans la cabine du télégraphe, Bride et Phillips savaient maintenant combien l'accident était grave et, fiévreusement, ils lançaient leurs appels au secours. De nombreux navires entendirent leurs signaux et y répondirent, mais ils étaient pour la plupart trop loin pour parvenir sur les lieux assez tôt pour les sauver. Le bateau le plus proche avec lequel ils avaient établi une liaison était le *Carpathia,* qui se trouvait à plus de 100 kilomètres dans le Sud-Ouest. Immédiatement, le *Carpathia* fit savoir qu'il se dirigeait à toute vapeur vers le lieu du naufrage. Mais arriverait-il sur eux au moment voulu ?

Pas bien loin, le télégraphiste du *Californian* était allé se coucher après avoir éteint son poste. Plusieurs marins, sur le pont du *Californian,* virent les fusées sur l'horizon et en rendirent compte à leur Commandant. Celui-ci demanda de quelle couleur elles étaient et leur ordonna alors de tenter d'entrer en contact avec ce navire au moyen du projecteur morse. Mais ils ne reçurent aucune réponse à leurs appels lumineux. Et personne ne songea à réveiller l'opérateur radio !

A bord du *Titanic,* près d'une heure après l'abordage, les passagers, pour la plupart, n'avaient toujours

pas pris conscience de la gravité de la situation. Mais le Commandant Smith, lui, était mortellement inquiet. Il savait que le *Titanic* ne comportait de moyens de sauvetage que pour moins de la moitié des 2 200 personnes embarquées. Il lui fallait s'assurer que ses officiers sauraient faire respecter l'ordre et enrayeraient toute panique parmi les passagers.

A minuit et demi, il donna l'ordre de commencer l'évacuation dans les canots — "Les femmes et les enfants d'abord !" — Bien que le navire fut très sensiblement enfoncé de l'avant et légèrement incliné sur

le côté, de nombreux passagers se refusaient encore à quitter ce grand vaisseau brillamment illuminé. L'orchestre du bord jouait des airs entraînants, contribuant ainsi à créer une atmosphère factice de fête.

Vers une heure moins le quart, le premier canot fut affalé à la mer. Il aurait pu emmener soixante-cinq passagers, mais il quitta le bord avec seulement vingt-huit personnes. En fait, la plupart des premières embarcations qui déhalèrent n'étaient qu'à moitié remplies. Ruth Becker ne nota aucun signe de frayeur dans la foule des passagers éparpillés sur les ponts. "Tout était calme, tous obéissaient sagement." Mais l'air nocturne était cruellement froid. La mère de Ruth demanda à sa fille de retourner dans leur cabine y prendre de quoi se couvrir. Ruth se précipita en bas et revint au galop, tenant plusieurs couvertures serrées dans ses bras. Les Becker s'approchèrent des embarcations où un marin empoigna le frère et la sœur de Ruth et les fit s'asseoir sur un banc.

"Ça suffit pour ce bateau", cria-t-il aux hommes attelés à la manœuvre. "Allez-y ! Faites descendre !"

"Je vous en prie, ce sont mes enfants", s'exclama la mère de Ruth. "Laissez-moi monter avec eux !"

Le marin permit à Mme Becker d'embarquer avec ses deux enfants. Une fois en place, en se retournant, elle vit que Ruth était restée sur le pont et lui cria de chercher une place dans un autre canot. Ruth se dirigea sur le plus proche et demanda à un officier si elle pouvait y monter. "Bien sûr !", dit-il et, la prenant dans ses bras, il la déposa en sûreté.

Le canot n° 13 était si plein de monde que Ruth dut rester debout. Mètre après mètre, il descendit le long de la paroi vertigineuse de l'énorme paquebot. Les poulies toutes neuves crissaient au passage des cordages, grinçant sous le poids du canot et de son chargement de soixante-quatre personnes. Dès qu'il eut touché l'eau, il se mit à dériver vers l'avant. Subitement, Ruth en aperçut un autre qui arrivait droit sur leurs têtes. Craignant d'être écrasés et noyés, les marins, en bas, crièrent "Arrêtez !" aux hommes qui manœuvraient sur le pont.

Mais il régnait un tel vacarme que leurs cris ne furent pas entendus. La deuxième embarcation continuait de descendre, se rapprochant au point qu'ils pouvaient presque toucher sa quille. Soudain, un des marins sauta sur ses pieds, tira un couteau de sa poche et coupa les amarres, les dégageant du canot qui descendait sur eux. Ils purent ainsi se déhaler du *Titanic*, juste au moment où le n° 15 amerrissait à quelques centimètres d'eux.

En bas, dans les quartiers des 3es classes, il régnait une vive confusion et une profonde anxiété. Beaucoup de passagers n'avaient jusque-là pas été capables de trouver leur chemin vers les ponts supérieurs. Ceux d'entre eux qui purent y parvenir durent renverser les barrières séparant les 3es des 1res classes.

Vers une heure et demie du matin, la proue était très enfoncée et les gens commençaient à sentir la gîte

(Page suivante) Les derniers instants du *Titanic*.

KEN MARSCHALL 1974

des ponts. Dans la cabine radio, Bride et Phillips poursuivaient désespérément leurs émissions de S.O.S. Vers deux heures, les signaux faiblirent de plus en plus car l'électricité baissait : "Nous coulons rapidement.", "Femmes et enfants dans les canots de sauvetage. Nous ne pouvons plus tenir." Dehors, sur les ponts, de nombreux passagers refluaient vers la partie arrière qui, lentement, se dressait hors de l'eau.

A deux heures cinq, il restait encore plus de 1 500 personnes abandonnées sur le navire en perdition. Toutes les embarcations de sauvetage s'étaient éloignées et un étrange silence tomba. Les gens paraissaient paralysés sur les ponts, se serrant les uns contre les autres pour se tenir chaud, tentant de s'éloigner le plus possible du côté sur lequel s'inclinait le navire.

Le Commandant Smith se rendit alors au poste de télégraphie et dit à Harold Bride et à Phillips de sauver leur peau. "Garçons, vous avez fait tout votre devoir", leur dit-il. "Vous ne pouvez en faire plus. Abandonnez votre poste. A partir de maintenant, c'est chacun pour soi !" Phillips continua d'émettre, restant devant son manipulateur morse jusqu'à la dernière seconde. Soudain, Bride entendit la mer gargouiller sur le pont, à l'extérieur de la cabine. Phillips l'entendit aussi et cria : "Allez, venez et fichons le camp !"

Près de la poupe, le Père Thomas Byle entendit en confession plus de cent personnes et leur donna l'absolution. Jouant jusqu'à la dernière extrémité, le courageux orchestre du bord déposa finalement ses instruments et les musiciens cherchèrent à se sauver. En désespoir de cause, certains passagers et marins se mirent à sauter par-dessus bord, alors que l'eau grimpait à l'assaut des ponts de plus en plus inclinés.

Jack Thayer se tenait avec son ami Milton Long au bastingage de la poupe, essayant de rester à l'écart de la cohue. Il avait été séparé de son père dans la confusion qui régnait. Jack et son compagnon entendirent des grondements sourds et des explosions, loin dans les entrailles du navire. Puis, d'un coup, le *Titanic* commença de plonger. La mer se rua vers eux. Thayer et Long échangèrent un rapide adieu et se souhaitèrent mutuellement bonne chance. Et ils sautèrent tous deux dans l'eau.

Au cours de son plongeon, Jack se sentit aspiré vers le fond. "Le froid était terrifiant. Le contact avec l'eau glacée me coupa le souffle. Je m'enfonçais de plus en plus, tournoyant en tous sens." Quand, enfin, il refit surface, cherchant à respirer et engourdi par l'eau glaciale, le bateau était à une quinzaine de mètres de lui.

Aucune trace de Milton Long ! Jack ne devait jamais le revoir.

Jack avait eu de la chance. Alors qu'il se débattait dans l'eau, sa main heurta un radeau de sauvetage chaviré. Il s'y agrippa et tint bon, essayant vainement de monter dessus. C'est au même engin que Harold Bride se cramponna quand une vague le balaya par-dessus bord.

Ensemble, Jack et Harold assistèrent aux terrifiantes dernières minutes de l'immense navire. "Nous pouvions voir des... groupes de gens à bord, s'accrochant les uns aux autres, en grappes, comme des essaims d'abeilles grouillantes ; ils tombaient ensemble, ou par couples, ou séparément, alors que le plus grand morceau du paquebot... se dressait vers le ciel..." raconta Thayer. "Je levai les yeux, nous étions juste au-dessous

Le sauvetage par le *Carpathia*

Le Commandant Arthur Rostron du *Carpathia* (**encadré, page suivante, à l'extrême droite**) est le héros du drame du *Titanic*. Quand son navire reçut les appels de détresse du *Titanic*, le Commandant Rostron donna ordre à son équipage de faire immédiatement route, à toute vapeur, vers les lieux du désastre et ceci malgré une mer rendue dangereuse par la présence de glaces dérivantes. Il arriva à 4 heures du matin mais il ne put repêcher des canots du *Titanic* que 705 passagers et marins. Sur la photographie (**ci-dessous**) et sur le dessin (**ci-dessous, à droite**) on peut voir les embarcations du *Titanic* s'approcher du *Carpathia* alors que l'aube se lève. Un marin passe la tête (**ci-contre, à l'extrême droite**) pour observer les passagers se préparant à monter à bord du *Carpathia*. Le radeau chaviré (**ci-contre, à droite**) est celui auquel Harold Bride et Jack Thayer s'agrippèrent toute la nuit. C'était un radeau de toile arrimé sur le toit des quartiers des officiers. Quand le *Titanic* sombra, il fut balayé par-dessus bord par une vague et 28 personnes y trouvèrent refuge.

des trois énormes hélices. Pendant un instant, je crus qu'elles allaient nous tomber exactement dessus. Puis le navire s'éloigna un peu de nous en s'enfonçant sous la surface de la mer."

En sécurité dans son canot, Ruth Becker fut également témoin de la fin du *Titanic*. "Je me suis retournée pour observer notre bateau. Les ponts grouillaient de monde. Finalement, le *Titanic* plongea plus vite et toutes les lumières s'éteignirent. On pouvait seulement voir l'arrière qui demeura dressé verticalement, pendant environ deux minutes. Puis... tout disparut."

C'est alors, comme Ruth le raconta plus tard, "que nos oreilles s'emplirent des sons les plus horribles qu'un être humain ait jamais entendus : les cris de centaines de gens se débattant dans l'eau glaciale, hurlant à l'aide alors que nous ne pouvions pas leur porter secours". Selon les mots de Jack Thayer, c'était "une interminable lamentation". Mais, rapidement, cette effroyable plainte funèbre s'affaiblit, à mesure que le froid polaire exerçait ses ravages parmi ces malheureux.

Jack Thayer, Harold Bride et un certain nombre de survivants se cramponnaient sur leur radeau chaviré, quelques centimètres au-dessus du froid mortel de l'Atlantique Nord. Paralysés et n'osant pas faire un mouvement, de peur de faire couler l'engin sous leur poids, ils ne pouvaient que prier et chanter des cantiques en attendant d'être secourus. A un moment, alors que l'aurore faisait naître une ligne plus claire sur l'horizon, ils aperçurent une fusée dans le lointain. Le *Carpathia* arrivait à la rescousse.

CHAPITRE QUATRE

La Découverte

"LES CANOTS DE SAUVETAGE !", DIS-JE D'UNE voix tout excitée à Jean-Louis, en désignant un point sur la carte déployée sur la table traçante. "Nous savons que le *Carpathia* a recueilli les canots de sauvetage exactement ici. Donc le *Titanic* ne peut être qu'au nord de ce point. Si nous commençons à partir de cet endroit et si nous explorons vers le nord, nous sommes forcés de tomber sur lui." Mon collègue et ami français Jean-Louis Michel et moi étions absorbés dans l'examen des cartes et des relevés étalés devant nous. Nous nous trouvions à bord du navire océanographique de Woods Hole, le *Knorr*. Au beau milieu de l'Atlantique, en août 1985, nous délimitions une nouvelle zone stratégique pour notre recherche du *Titanic*. Après six semaines d'exploration, nous n'avions rien trouvé. Maintenant, il fallait repenser les données du problème. Je priais pour que la roue de la Fortune veuille bien enfin tourner à notre avantage.

Dans les dangereux parages de l'Atlantique Nord-Ouest où le *Titanic* avait sombré, on ne peut espérer un temps convenable qu'au cours de quelques semaines d'été. Et encore, même pendant cette brève période, il est toujours possible d'essuyer d'effroyables tempêtes. Nous disposions d'à peine cinq semaines pour mener

Jean-Louis Michel et moi élaborons notre stratégie d'exploration à bord du *Knorr*.

à bien notre difficile mission. Cinq semaines, non seulement pour repérer le *Titanic* gisant à des kilomètres de profondeur, au milieu de nulle part, mais aussi pour ramener des photographies de l'épave que le monde attendait de voir. Mon rêve de découvrir le *Titanic* tournait à la lutte permanente contre la montre et contre les éléments.

L'expédition que j'avais si longtemps espérée était une entreprise franco-américaine. Jean-Louis Michel et moi avions passé les six premières semaines sur le navire français *Le Suroît*. Nous nous étions servis de l'appareil tout neuf de Jean-Louis, le S.A.R, un instrument de détection sonar qui ressemble, de l'extérieur, à une torpille rouge. Pourtant nous n'avions rien trouvé. Nous avions couvert en vain une vaste superficie, mais les courants marins étaient trop forts. Ils nous avaient souvent déportés hors de nos routes, nous faisant perdre un temps précieux. Déjà, nous avions dépassé notre planning.

On utilise le sonar pour détecter les objets immergés en faisant rebondir sur eux des ondes émises par un appareil électronique. Remorquer la torpille du sonar S.A.R. de Jean-Louis, sous l'eau, juste au-dessus du fond de la mer, était un peu comme tirer un cerf-volant au bout d'un fil de quatre kilomètres ! Et il fallait le traîner avec les plus grandes précautions, de long en large, de façon à ne rien manquer. Un navire de près de 300 mètres de long n'est qu'un grain minuscule dans les profondeurs sans bornes de l'Océan, avec ses canyons et ses crevasses. A moins de ratisser chaque mètre carré de notre zone de recherche, nous pouvions parfaitement manquer notre cible. Nous appelions cela : "Tondre la pelouse !" Rester extrêmement attentif et minutieux pendant des jours et des jours sans enregistrer le moindre résultat devenait affreusement fatigant et... ennuyeux !

Au début de notre campagne, le temps s'était maintenu au beau fixe. Puis la tempête se leva et nous fûmes ballottés comme un bouchon dans un tourbillon. Non seulement c'était pénible et harassant, mais surtout cela

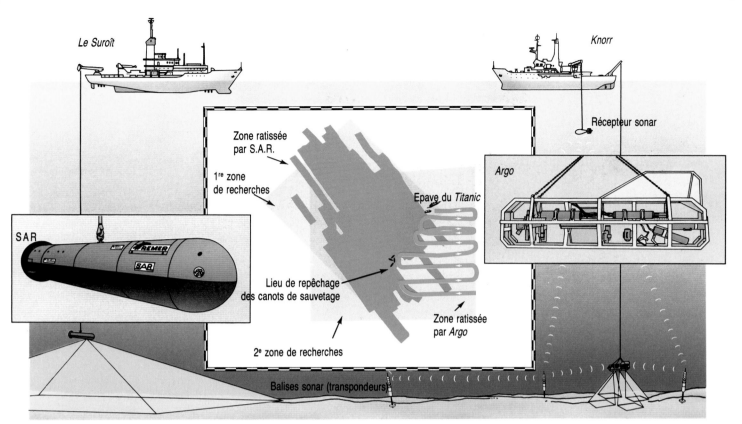

Le Suroît

Zone ratissée
par S.A.R.

1ᵉʳ zone
de recherches

Épave du Titanic

Lieu de repêchage
des canots de sauvetage

2ᵉ zone de recherches

Balises sonar (transpondeurs)

SAR

Knorr

Récepteur sonar

Argo

Zone ratissée
par Argo

Ce diagramme montre comment les deux parties de notre expédition de 1985 ont coopéré pour découvrir le *Titanic*. Le navire français *Le Suroît*, avec son sonar S.A.R. **(ci-dessus, à gauche)** a ratissé 80 % de la zone de recherches de près de 300 kilomètres. Avec le navire américain *Knorr* et notre engin photographique remorqué à grande profondeur *Argo* **(ci-contre, à droite)** nous avons exploré le secteur nord en larges arcs, prenant des vues du fond de la mer, par nos caméras de télévision, en espérant repérer les débris échappés du *Titanic*.

signifiait une perte de temps puisque nous étions contraints de suspendre nos recherches.

Jean-Louis et ses excellents équipiers français avaient fait de leur mieux ; malheureusement, au bout de six semaines, ils n'avaient toujours pas repéré le moindre indice du *Titanic*. C'était maintenant au tour des Américains, pour la seconde moitié de l'expédition, avec toujours Jean-Louis et deux de ses assistants, de prendre la relève et d'essayer de localiser notre objectif.

Quand nous sommes passés du *Suroît* au *Knorr*, nous avons aussi changé de technique, utilisant la télévision au lieu du sonar. Le *Knorr* était équipé pour remorquer un appareil que j'avais conçu : *Argo*. *Argo* est constitué essentiellement par un traîneau de tubes d'acier sur lequel sont montées des caméras de télévision capables de filmer le plancher des mers. Les films qu'il tourne sont transmis par le câble de remorque jusqu'à un écran vidéo dans le laboratoire du navire, si bien que l'on peut suivre et examiner immédiatement ce que *Argo* voit au fond.

En embarquant sur ce nouveau bateau, on sentait monter la tension. Nous savions tous que le temps filait à toute vitesse. Pour avoir une dernière chance, il fallait mener à bride abattue notre chasse au *Titanic* !

C'est pour cela que j'avais élaboré une nouvelle tactique d'exploration. Je savais que, quand des objets coulent en eau profonde, ils dérivent, au cours de leur chute, sous la poussée des courants marins. Il en résulte généralement une sorte de queue de comète de débris qui s'étend sur le fond. Je pensais que cela avait dû se produire lors du naufrage du *Titanic*. Une importante quantité de toutes sortes d'objets s'était échappée de la coque pendant sa descente vers le fond. Et comme ces objets devaient être répandus sur une superficie beaucoup plus vaste que celle occupée par la coque elle-même, ils seraient plus faciles à repérer qu'elle. Ainsi, pour gagner du temps et nous faciliter la tâche, je décidai d'axer nos recherches sur ces débris plutôt que sur le *Titanic* lui-même. J'espérais surtout que les caméras de télévision réussiraient là où le sonar avait échoué. Alors, démarrant juste au sud de l'endroit où les canots de sauvetage avaient été repêchés en 1912, nous avons entrepris d'explorer vers le Nord et de faire parcourir à *Argo* de longs passages sur toute notre zone de recherches.

Dans le Centre de Contrôle, les membres de l'équipe de détection se mirent en place, chacun à son poste de

(Ci-dessus) Une des chaudières du *Titanic* gisant sur le fond de l'Océan.

(A gauche) Cette photographie, datant de 1912, montre les chaudières en cours de montage. Elle nous a permis d'identifier le gros objet cylindrique qui apparut à nos yeux sur l'écran du moniteur de télévision relié à la caméra d'*Argo*.

travail. *Argo* était paré à plonger. La pièce fleurait bon le pop-corn au miel. Nous nous sentions détendus mais pleins de concentration sur la tâche à accomplir. Après une longue traversée depuis le port de Woods Hole jusqu'au lieu d'exploration, nous allions enfin nous mettre réellement à l'ouvrage !

Mais, quand *Argo* atteignit le fond de l'Océan, à la profondeur de 12 690 pieds (4 230 mètres), ses caméras ne révélèrent que de légères empreintes de créatures abyssales sur la vase. A part cela, rien ! Pendant les longues heures qui suivirent, nous n'aperçûmes qu'un paysage doucement vallonné de collines de boue.

Remorquer *Argo* était un art très délicat. Si le *Knorr* allait trop vite, *Argo* remontait trop haut pour que ses caméras puissent voir quoi que ce soit. Mais, si la vitesse était trop faible, *Argo* descendait et risquait de heurter le fond et de s'y écraser. Il fallait tenir une balance précise de la longueur de câble entre le *Knorr* et *Argo* ; c'était un travail très difficile et surtout exténuant. Et ceci continua, heure après heure, jour après jour !

Vint le temps où il ne resta plus que cinq jours devant nous et le désespoir commençait de nous envahir. Du coup, l'Océan nous paraissait trop vaste et nos doutes grandissaient. Le *Titanic* gisait-il vraiment dans la zone que nous avions déterminée avec un si grand soin ? Dans l'affirmative, nous aurions dû nécessairement voir quelque chose au cours des jours passés à scruter, de tous nos yeux, ce secteur. Ne cherchionsnous pas au mauvais endroit ? Allions-nous revenir bredouilles, les mains vides ? Je sentais monter le vent de la défaite.

Par acquit de conscience, nous décidâmes de vérifier une minuscule portion du fond que Jean-Louis et son sonar S.A.R. avaient manquée, ayant été déportés par des courants violents. Nous nous dirigeâmes sur cet endroit, à une vingtaine de kilomètres plus loin.

Mais, alors que *Argo* ratissait de long en large cette zone, tous nos espoirs faillirent sombrer. Il n'y avait rigoureusement rien dans ce coin-là ! Sous ce coup du sort, l'ambiance dans le Centre de Contrôle se faisait sinistre : des heures et des heures à scruter des images vidéo d'un fond plat et boueux ! L'amertume et le désespoir nous envahissaient tous et l'ennui de ce paysage monotone devenait insupportable. Là-dessus, le mauvais temps se mit de la partie et, en constatant qu'il ne nous restait plus que quatre jours, notre moral tomba à zéro ! Je sentais venir la déroute définitive !

Peu après minuit, le 1er septembre, j'allai me coucher pour enfin dormir et l'équipe de nuit, commandée par Jean-Louis, prit son quart. Au bout d'une heure dans un silence maussade, un des équipiers demanda aux autres : "Qu'est-ce qu'on pourrait bien inventer pour se tenir éveillés, cette nuit ?" Tout ce qu'ils avaient vu, jusque-là, était la vase, toujours la vase, des kilomètres interminables de rien ! Stu Harris, qui pilotait *Argo*, ne répondit pas. Ses yeux étaient rivés fixement à l'écran de son poste de télévision.

"Il y a quelque chose", dit-il en pointant un doigt sur l'écran TV. Du coup, chaque membre de l'équipe engourdie se dressa, l'œil aux aguets. Mais nul ne pouvait croire qu'il s'agisse d'autre chose qu'une nouvelle fausse alerte ou une plaisanterie ! Mais non ! Là, sur

Une atmosphère de victoire règne dans le Centre de Contrôle après avoir réalisé que nous avons retrouvé le *Titanic*.

l'écran, apparaissaient des objets fabriqués de main d'homme ! Quelqu'un cria "Bravo !" Tout le personnel du Centre lui fit écho avec un tonitruant "Yeah !" et la pièce se remplit de cris de guerre et de victoire. Toutes sortes d'épaves défilaient sur l'écran. Subitement, une chose différente apparut ; quelque chose d'énorme et parfaitement cylindrique. Jean-Louis feuilletait un livre contenant des dessins des équipements du *Titanic*. Il tomba sur l'image d'une des massives chaudières du navire, qui fonctionnaient au charbon et fournissaient la vapeur pour les turbines. Il ne pouvait en croire ses yeux. Ses regards allaient du livre qu'il tenait sur ses genoux à l'écran TV devant lui et vice versa. Pour sûr, c'était le même type de chaudière !

Je jaillis hors de ma couchette quand on m'annonça la nouvelle et me ruai au Centre de Contrôle. Nous repassâmes la cassette vidéo sur laquelle la vision de la chaudière avait été enregistrée. Je ne savais que croire ! Je me tournai vers Jean-Louis ; son regard voulait tout dire : le *Titanic* était retrouvé ! Nous avions réussi ! Il dit alors, d'une voix douce : "Ce n'est pas un coup de chance, nous l'avons bien mérité !"

Notre chasse touchait à son terme. Quelque part, tout près, le paquebot *Titanic* existait !

La nouvelle s'était répandue comme une traînée de poudre, à travers tout le navire. Tout le monde affluait au Centre de Contrôle. L'endroit virait à l'asile de fous !

Les gens se serraient les mains, se donnaient de grandes claques dans le dos en se félicitant !

Il était presque deux heures du matin, sensiblement la même heure que celle où le *Titanic* avait sombré. Quelqu'un tendit un doigt vers la pendule accrochée au mur. Et d'un seul coup, le silence tomba dans la pièce.

Juste au-dessous de nous, sous des milliers de mètres d'eau noire, se trouvait non seulement la tombe d'un vaisseau de légende, mais aussi celle de plus de 1 500 personnes qui s'étaient englouties avec lui. Nous étions les premiers, après soixante-quinze ans, à venir nous recueillir en ce lieu.

Au dehors, sur la plage arrière du *Knorr*, plusieurs personnes se réunirent pour observer une minute de silence en souvenir de ceux qui avaient péri avec le *Titanic*. Le ciel était constellé d'étoiles, la mer était belle. Nous hissâmes le pavillon de Harland & Wolff, le chantier naval de Belfast, en Irlande, qui avait construit ce grand paquebot. A part la lune qui brillait, la nuit était semblable à celle du naufrage du *Titanic*. Je l'imaginais coulant, l'étrave d'abord, dans les eaux glacées de l'Atlantique. Autour de moi, tournoyaient les silhouettes fantomatiques des canots de sauvetage et les cris perçants, les appels désespérés des passagers et des marins mourant lentement de froid dans la mer.

Notre modeste service funèbre dura environ dix minutes. Je dis alors, simplement : "Merci à tous ! Maintenant, retournons au travail !"

Au cours du bref laps de temps qui nous était laissé, je voulais prendre autant de photographies de l'épave que possible. Je voulais montrer au monde l'état dans lequel le *Titanic* se trouvait, après soixante-quinze ans passés au fond de la mer. Un million de questions traversaient mon esprit : le navire était-il en un seul morceau ou brisé en plusieurs parties ? Les cheminées se dressaient-elles toujours aussi orgueilleusement ? Les ponts en bois de teck avaient-ils résisté à la corrosion sous-marine ? Et cette pensée plus morbide : trouverions-nous des restes de ceux qui étaient morts cette nuit-là ? Les photographies répondraient à ces interrogations.

Nous avons commencé notre première série de prises de vues avec un passage de *Argo* au-dessus de la plus grosse épave que nous avions repérée. Mais toutes sortes de dangers étaient tapis dans l'ombre. Si *Argo* était pris dans un enchevêtrement de câbles, il faudrait un réel miracle pour l'en libérer. Cela pouvait signifier la fin de notre expédition !

Quand *Argo* approcha du fond, nul ne bougeait dans le Centre de Contrôle et le silence était total. Puis *Argo* survola la partie principale de la coque.

"Descendez un peu plus. Passez à une altitude de cinq mètres !"

"Bien compris !"

Sur l'écran du téléviseur, je pouvais distinguer une image assez floue de la coque. "C'est un des flancs du navire ! Il est debout sur sa quille !"

Soudain, sortant du néant obscur, le Pont des Embarcations surgit dans le champ de la caméra. "Surveillez très attentivement les cheminées !"

Mais on ne voyait que les trous béants où elles se dressaient autrefois. Puis, en passant au-dessus du centre du navire, nous vîmes la forme tout aplatie de la timonerie. Etait-ce là où le Commandant Smith était demeuré jusqu'à la fin ?

Avant que nous ayons pu nous en rendre compte, *Argo* avait traversé toute la largeur de l'épave et nous étions de nouveau au-dessus du vide. Après tout, ce premier survol s'était déroulé sans anicroche. D'un coup, tout le Centre de Contrôle explosa de joie. Les gens chantaient, dansaient, pendant que Jean-Louis et moi restions calmes, à repenser à ce que nous venions de voir. Nous savions maintenant que le *Titanic* avait atterri sur le fond debout, et que sa plus grande partie paraissait intacte.

Je voulais que *Argo* effectue d'autres passages sur l'épave, mais il fallait d'abord ramener le calme et la concentration dans le Poste de Commandement. J'avais besoin d'équipiers parfaitement reposés, en grande forme pour tenir pendant les prochaines soixante-quatre heures, c'est-à-dire tout le temps qui nous restait ! "Dites donc, là-dedans ! Nous sommes un peu trop nombreux ici ! Vous serez tous épuisés quand votre tour de quart viendra ! Allez ! Tous ceux qui ne sont pas de service, au lit ! On va trimer durement au cours des prochaines heures !

(Ci-dessus) Notre engin sous-marin *Argo,* équipé de caméras de télévision, est télécommandé à partir du Centre de Contrôle par un levier (joystick) pareil à celui d'un jeu vidéo.

(Ci-dessous) Nos deux navires océanographiques, *Le Suroît* et le *Knorr,* sont d'une taille dérisoire par comparaison aux dimensions du *Titanic.*

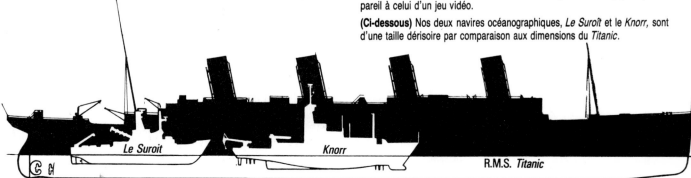

Le Suroît   Knorr   R.M.S. *Titanic*

Pendant le reste de l'après-midi et la soirée, nous n'avons réussi qu'à accomplir deux survols de l'épave, car le temps en surface était très mauvais. Mais nous avons alors découvert, à notre grande surprise et avec beaucoup de tristesse, que le navire était brisé en deux — toute la poupe manquait ! Là où la partie arrière aurait dû apparaître sur nos écrans, les images ne faisaient voir qu'un épouvantable chaos d'épave démantelée.

Pendant ce temps, la tempête avait atteint son point culminant. Nous ne pouvions plus utiliser *Argo*. Pendant dix heures interminables, l'ouragan s'acharna sur nous, faisant rouler et tanguer le *Knorr* bord sur bord dans une mer déchaînée. "Bien ! pensai-je finalement,

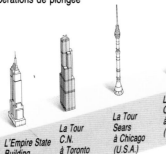

(Ci-dessus) Nous commençons les opérations de plongée d'*Argo* sur le *Titanic*.

– 133 mètres
Ceci est la profondeur maximale atteinte en plongée libre. Aucune végétation ne pousse au-dessous de cette limite.

– 465 mètres
Les sous-marins ne peuvent pas descendre au-dessous de ce niveau.

– 940 mètres
Les pionniers de l'exploration sous-marine, William Beebe et Otis Barton, ont atteint cette profondeur dans leur bathysphère en 1930.

– 1 609 mètres (un mile anglais)
A cette profondeur, c'est le noir absolu et les créatures abyssales qui y vivent sont transparentes ou peuvent émettre de la lumière dans l'obscurité.

– 3 218 mètres (deux miles anglais)
A cette profondeur, la température de l'eau se maintient à quelques degrés au-dessus de zéro.

– 3 965 mètres
La pression exercée par l'eau, à la profondeur où gît le Titanic, est de l'ordre d'une demi-tonne au centimètre carré.

La Grande Pyramide de Chéops à Gizeh en Egypte

La Tour Eiffel à Paris (France)

L'Empire State Building à New York (U.S.A.)

La Tour C.N. à Toronto (Canada)

La Tour Sears à Chicago (U.S.A.)

La Tour Ostankino à Moscou (U.R.S.S.)

Ce dessin à l'échelle montre la distance considérable entre le *Knorr* et l'épave du *Titanic*.

si nous ne pouvons plus nous servir de *Argo* et de ses caméras de télévision, nous pourrons au moins travailler avec *Angus*." *Angus* avait beaucoup de points communs avec *Argo,* mais c'était un engin plus ancien, un traîneau équipé d'appareils de photographie qui pouvaient prendre des vues fixes par un système de télécommande au lieu de films vidéo, quand il était remorqué au-dessus du fond. Le surnom de *Angus* était "L'araignée au bout de son fil !" et il venait, à point nommé, assurer la relève de son petit frère ! Après tout, j'avais déjà utilisé *Angus* dans des mers plus mauvaises que celle où nous nous débattions.

Nos premiers passages sur l'épave avec *Angus* ne nous donnèrent que des photographies floues. Les appareils avaient fonctionné très normalement, mais nous étions passés trop haut pour avoir des vues intéressantes. Nous entamions nos dernières heures sur le site et je sentais la victoire totale me glisser comme du sable entre les doigts. Je dois dire qu'à ce moment-là je n'avais qu'une envie : rentrer à la maison ! Je souffrais d'une jambe après une chute brutale sur le pont et je n'avais pas dormi depuis des jours. Nous avions trouvé le *Titanic,* cela ne suffisait-il pas ? Qui avait dit qu'il nous fallait en outre ramener au port des photographies excellentes ?

Je puisai dans mes ultimes ressources pour trouver la force de continuer. Je n'allais pas quitter le *Titanic* sans essayer encore une fois. Nous avions quatre heures et demie devant nous avant de prendre la route du retour car le *Knorr* devait impérativement revenir au port à une date précise afin de repartir en expédition sous d'autres cieux.

J'étais tellement abruti de fatigue que je dus travailler allongé, sinon je serais tombé ! Je me couchai sur une table du Centre de Contrôle pour donner mes ordres en vue de cette dernière tentative. Ce que nous nous préparions à réaliser dans cette mer démontée était encore plus fou que les passages pleins de risques que nous avions déjà effectués avec *Angus*. Il nous fallait approcher nos caméras tout près des ponts du *Titanic* pour les photographier en gros plans. En surface, les vagues dépassaient quatre mètres de creux et nous ballottions follement de haut en bas. Ces écarts se répercuteraient tout au long des 4 200 mètres de câble si bien que *Angus* allait danser comme un pantin au bout de son fil, rendant le contrôle de son altitude fort difficile. Mais, quel que soit le risque, c'était maintenant ou jamais.

"Descendez encore de cinq mètres !", coassai-je d'une voix que l'épuisement rendait rauque.

"Cinq mètres ? Vous êtes complètement fou !", répondit le pilote en me dévisageant avec inquiétude.

"Cinq mètres !", répétai-je, ne pouvant plus tenir les yeux ouverts.

Pendant les trois heures suivantes, presque aucune parole ne fut prononcée alors que *Angus* passait au ras

(A gauche) Une des vues du pont du gaillard d'avant du *Titanic* prises par les caméras d'*Angus*. Les deux cabestans et les chaînes d'ancres sont clairement visibles.

(Encadré, à gauche) Cette photographie montre ce même pont, 74 ans plus tôt.

(A droite) Le nid-de-pie est encore fixé au mât de misaine renversé. La photographie, prise en 1912, montre la cloche qui fut sonnée quand le veilleur aperçut l'iceberg (encadré).

du *Titanic*. Une glissade de trop et *Angus* se serait perdu pour toujours dans l'épave, au fond. En surface, le vent faisait trembler les parois du Centre de Contrôle alors que l'ouragan culminait. Puis, vers six heures du matin, un simple message tomba de la passerelle du *Knorr* par l'interphone. Le Commandant du navire annonça : "Vous devez repêcher votre engin ! On s'en va !"

Juste en temps voulu, *Angus* fut ramené sur le pont. Quelques heures plus tard, le laboratoire de développement nous donna les premières nouvelles en nous informant que nous avions d'excellentes photographies en couleurs. Nous avions gagné ! D'un cheveu !!

Alors, enfin, j'allais pouvoir m'étendre sur ma couchette et plonger dans le sommeil. Quand je m'éveillai, il faisait nuit et le *Knorr* faisait paisiblement route vers son port d'attache.

Par un temps clair et chaud, le 9 septembre 1985, dans la matinée, le *Knorr* franchissait le Détroit de Nantucket, dans le Massachusetts, quand il fut environné d'hélicoptères, d'avions de tourisme, et de toutes sortes de bateaux de plaisance qui tournaient autour de lui en faisant mugir leurs sirènes. La nouvelle de notre découverte du *Titanic* faisait les gros titres des journaux du monde entier.

Puis un petit bateau, amenant un "Comité d'Accueil" où se trouvaient ma femme et mes deux fils, Todd et Douglas, s'approcha de nous. Avoir ma famille auprès de moi était d'un prix inappréciable. Elle avait payé un lourd tribut pendant des années, pendant mes longues campagnes en mer, loin du foyer, mais aucun ne s'était jamais plaint.

En arrivant au port, je ne pouvais en croire mes yeux. Les quais grouillaient d'un monde qui avait envahi chaque mètre carré. On avait édifié une immense estrade couverte de caméras de télévision et de journalistes. Des drapeaux flottaient partout, un orchestre jouait, les enfants des écoles agitaient des ballons de baudruche, et un coup de canon salua notre accostage.

Ce fut un accueil triomphal !

Nous sommes accueillis par une foule nombreuse en revenant au port.

CHAPITRE CINQ

L'Exploration du Vaisseau

AVEC UN LARGE SOURIRE, JE ME RETOURNAI VERS l'équipage qui m'entourait, sur le pont de notre nouveau navire océanographique, l'*Atlantis II,* et levai le pouce pour nous porter bonne chance. En chaussettes, je me laissai glisser le long de l'échelle à l'intérieur de *Alvin,* notre minuscule sous-marin. Nous étions le 13 juillet 1986, sensiblement un an après que notre expédition franco-américaine eut découvert et photographié le *Titanic.* Malheuresement, cette année, nos partenaires français n'avaient pu se joindre à nous. Mon ami Jean-Louis me manquait beaucoup.

Nous avions fait route directement sur le site du *Titanic* à travers le perfide Atlantique Nord et le temps était venu d'aller, maintenant, voir l'épave de plus près.

Notre objectif était de plonger sous près de 3 500 mètres d'eau dans les profondeurs glacées et ténébreu

Je grimpe à l'intérieur d'*Alvin* pour préparer notre plongée sur l'épave du *Titanic.*

ses où gisait le *Titanic,* et d'essayer de faire atterrir *Alvin* sur ses ponts. Si tout allait bien, nous serions les premiers êtres humains à contempler de près, après 74 ans, ce vaisseau de légende.

Après avoir refermé soigneusement l'écoutille, je considérai mon pilote et mon co-pilote, alors que *Alvin* se balançait légèrement d'avant en arrière, pendulant au bout du câble de la grue qui l'avait soulevé. Nous étions à ce moment moitié au-dessus du pont, moitié au-dessus de l'eau, un des moments les plus dangereux de la plongée. Si le sous-marin tombait, nous serions tous grièvement blessés.

Mais nous avons tranquillement touché l'eau. Notre amarre fut détachée et des plongeurs vinrent tourner autour de l'engin, procédant aux dernières vérifications des appareils, y compris *Jason Junior,* dit "*J.J.*".

J.J. était un robot sous-marin télécommandé, enfermé à l'extérieur de *Alvin* dans un abri spécial. Il travaillait au bout d'un long câble le reliant à notre sous-marin et était équipé d'appareils de photographie et de caméras vidéo. Grâce à lui, nous espérions explorer l'intérieur de l'épave.

Tous les trois, nous étions inconfortablement recroquevillés dans la cabine exiguë, notre "cabine spatiale" ! Avec ses parois tapissées d'instruments divers, nous ne pouvions ni nous allonger complètement ni nous tenir debout. Nous étions comme trois sardines entassées dans une boîte sphérique ! Il y faisait chaud et étouffant, mais l'eau de mer glaciale allait bientôt refroidir, très désagréablement, l'extérieur comme l'intérieur de la coque de *Alvin.*

La lumière du jour s'évanouissait, dans une teinte bleue de plus en plus sombre, à mesure que nous nous enfoncions à notre vitesse maximale de plongée de 30 mètres à la minute. Il nous faudrait deux heures et demie pour atteindre le fond. Nous bavardions en descendant doucement dans l'obscurité totale, la chaîne HI-FI de l'engin diffusait de la musique.

Alvin et Jason Junior

1) Sphère pressurisée d'*Alvin*, faite de titane.
2) Bras manipulateur équipé de projecteurs, d'appareils de photographie et de caméras de télévision.
3) Caméra de télévision avant.
4) Caméra de télévision plongeante.
5) Hublot d'observation.
6) Turbine de propulsion.
7) *Jason Junior* dans son garage.
8) Câble de liaison (laisse) entre *Jason Junior* et *Alvin*.
9) Appareils de photographie et caméra de télévision.
10) Compas directionnel.
11) Projecteur stroboscopique (à éclats).
12) Projecteur.
13) Patin d'appontage.

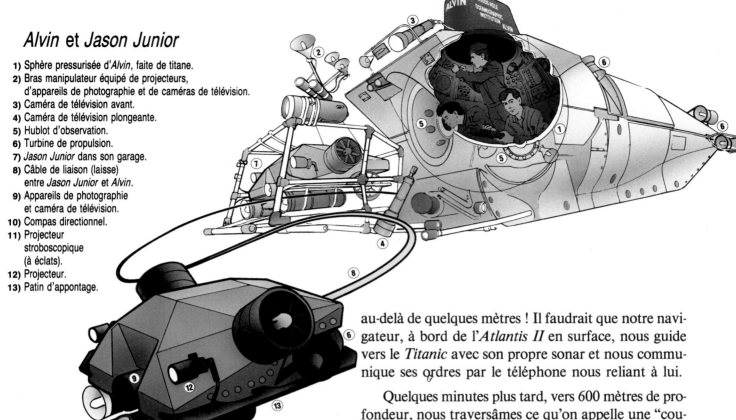

Soudain, un requin blanc surgit devant mon hublot et disparut aussitôt. Les requins s'approchent souvent de *Alvin* pour identifier la source des bruits qu'il émet. Il était réconfortant de savoir que plusieurs centimètres d'acier nous mettaient à l'abri de leurs redoutables mâchoires. Je me rappelais le jour où un espadon avait attaqué *Alvin* et avait planté son rostre dans sa coque !

La lente descente vers le fond est, d'habitude, une routine engourdissante. L'intérieur s'assombrit et le froid gagne dès que, au bout d'un quart d'heure, l'engin a atteint la profondeur de 400 mètres et le noir absolu. Pour économiser les batteries, les phares extérieurs de *Alvin* sont éteints et les seules sources de lumière sont les trois petites lampes rouges des instruments de navigation.

Les ennuis techniques se manifestèrent très vite et cela occupa nos pensées dès le commencement de la plongée. D'abord, nous découvrîmes que le sonar, de *Alvin* avait cessé de fonctionner. Cette panne était sans doute due soit à l'eau froide, soit à la pression grandissante. Le sonar était destiné à nous guider en faisant rebondir des ondes électroniques sur tout objet se trouvant sur notre route. Sans lui, nous serions aveugles au-delà de quelques mètres ! Il faudrait que notre navigateur, à bord de l'*Atlantis II* en surface, nous guide vers le *Titanic* avec son propre sonar et nous communique ses ordres par le téléphone nous reliant à lui.

Quelques minutes plus tard, vers 600 mètres de profondeur, nous traversâmes ce qu'on appelle une "couche diffusante", parce que, sur le sonar, cela ressemble à un nuage opaque. En fait, ce "nuage" est composé de myriades d'animalcules qui vivent à ces profondeurs : le plancton. Beaucoup de ces bestioles brillent dans l'obscurité, leur corps microscopique s'illuminant d'étincelles quand elles sentent une présence étrangère. La première fois que je vis ce phénomène, cela me fit penser à un train électrique miniature traversant la nuit, les fenêtres de ses wagons éclairées.

En passant le cap des 1 800 mètres, après plus d'une heure de descente, il commença de faire vraiment froid dans le submersible. Nous enfilâmes notre première série de vêtements chauds. Ce jour-là, je portais le bonnet de laine de l'équipe de hockey de mon fils pour me garder la tête au chaud. Pendant l'interminable descente, mes jambes s'engourdissaient et j'avais des crampes épouvantables dans les hanches. La minuscule cabine de *Alvin* ressemblait alors plus à une chambre de tortures qu'à une capsule spatiale !

Dix minutes plus tard, à 2 000 mètres de profondeur, notre pilote remarqua qu'une fuite d'eau salée se manifestait dans le compartiment abritant les batteries fournissant l'énergie à notre engin. Notre séjour au fond serait diablement raccourci, cette fois ! Et, pire encore, le sonar du navigateur en surface tomba en panne ! Cela signifiait que nous serions presque complètement aveugles !

A l'intérieur de la sphère pressurisée, encombrée, d'*Alvin*,
le pilote Dudley Foster vérifie la profondeur atteinte par le sous-marin
alors que je discute, par le téléphone acoustique, avec l'équipe restée à bord
de l'*Atlantis II*. De chaque côté de Dudley se trouvent les deux hublots à travers
lesquels nous pouvons observer le fond de la mer.

Le sol apparut dans la lumière verte de nos phares, au-dessous de nous. Nous étions arrivés ! Le seul ennui était que nous ne savions pas où nous étions ! Tout ce que nous pouvions voir à travers nos hublots était l'ombre de *Alvin* sur le fond couvert de douces ondulations de vase !

Si près du but... et pourtant si loin ! Le navire gisait quelque part, près de nous, probablement à moins de 150 mètres, l'équivalent de deux pâtés de maisons ! Mais, quand on est à près de 4 000 mètres de profondeur, dans le noir absolu, cent mètres sans sonar pour se guider sont la même chose que 100 kilomètres !

Je ne pouvais y croire ! J'avais patienté treize longues années pour vivre cet instant et maintenant, à un jet de pierre de l'objet de tous mes rêves, j'étais emprisonné dans une boîte de sardines, à quatre pattes, à ne rien voir sauf de la boue !

Soudain, pour couronner le tout, le signal d'alarme me vrilla les oreilles en crevant le silence qui régnait dans l'engin. La fuite dans le compartiment des batteries atteignait un seuil critique ! Il ne nous restait que très peu de temps avant d'entamer notre remontée et revenir à la surface en sécurité. Rapidement, je décidai de recalculer la position du *Titanic* par rapport à la nôtre et d'effectuer un déplacement en aveugle, en lançant le dernier coup de dés du hasard.

Alvin avait atterri sur son patin et comme un skieur unijambiste glissant dans la neige fraîche, nous commençâmes de faire mouvement. Le signal d'alarme qui continuait de sonner nous rendait fous et la tension dans l'engin devenait lourde ! Notre temps s'écoulait à toute vitesse et ce serait un sacré coup de chance si nous pouvions apercevoir le *Titanic* !

En dirigeant les phares d'*Alvin* sur les tôles de la coque du *Titanic*,
il nous semble avoir été arrêtés, sur le fond, par une énorme muraille d'acier.

Tout à coup, notre navigateur en surface nous appela par le téléphone pour nous annoncer une bonne nouvelle : son sonar fonctionnait de nouveau et le *Titanic* devait être à une cinquantaine de mètres dans l'Ouest de notre position !

Nous fîmes pivoter le sous-marin et collâmes nos yeux aux hublots. Là, le fond prenait un aspect étrange. Il commençait par monter abruptement, comme si un excavateur avait tracé une tranchée. Les battements de mon cœur accélérèrent !

"Avancez tout droit, dis-je au pilote ! Je crois voir un mur noir juste de l'autre côté de ce tas de boue !"

D'un seul coup, droit devant nous, "*Il*" apparut ! Une interminable muraille d'acier noir se dressait sur le fond : la coque massive du *Titanic* ! Je me sentais comme un spationaute apercevant les remparts d'une ville sur une autre planète. Tout doucement, je relâchai mon souffle, je ne réalisais pas encore que je touchais au but !

Mais ce rapide coup d'œil sur l'épave fut tout ce à quoi j'eus droit ! Notre pilote largua rapidement les lests de *Alvin*, fit taire ce damné signal d'alarme, et nous décollâmes en ballottant vers la surface. Un moment de plus au fond, et les systèmes de propulsion de *Alvin* auraient été en grand danger.

Tout ce que nous pouvions remonter d'un voyage de six heures était un bref coup d'œil sur le *Titanic*. Mais mon rêve était devenu une réalité.

J'avais un grand sourire en m'extrayant du sous-marin revenu sur le pont de l'*Atlantis II*. Mon seul commentaire fut : "J'ai vu l'épave pendant dix secondes ! Mais notre bébé est malade et il faut le guérir !" Si nous voulions plonger de nouveau le lendemain, il fallait répa-

rer tous nos incidents techniques. Pendant que je dormais, l'équipe des mécaniciens s'attela, toute la nuit, à soigner notre engin défaillant.

Par chance, tout fonctionnait à merveille, le jour suivant, et c'est pleins de confiance que nous avons effectué notre deuxième plongée. Ce jour-là, notre objectif était de repérer des endroits, sur les ponts du *Titanic*, où *Alvin* pourrait se poser.

Notre seconde vision du *Titanic* nous coupa le souffle. Alors que nous glissions silencieusement sur notre patin, la lame de rasoir de l'étrave surgit dans l'obscurité. L'immense vaisseau nous surplombait et subitement, nous crûmes qu'il fonçait sur nous, prêt à de nous aborder ! Ma première pensée fut qu'il fallait nous écarter de sa route ! Mais le *Titanic* n'allait nulle part !

En nous approchant plus près, nous pouvions examiner plus nettement la proue. Ses deux ancres étaient toujours à leur place. Mais l'avant était profondément enterré dans la vase, sur près de vingt mètres de hauteur, bien trop pour qu'on puisse jamais envisager de dégager le navire de sa gangue.

On aurait dit que l'acier de la coque se dissolvait lentement. Des cataractes de rouille figée pendaient le long des flancs du navire et se répandaient sur le sol. C'était comme si le sang du paquebot avait suinté en formant des flaques dans la boue du fond.

Pendant que *Alvin* s'élevait lentement le long de la coque du vaisseau fantôme, je pouvais voir nos phares se refléter dans les hublots encore intacts. Ils me faisaient penser à des yeux de chats nous fixant dans l'obscurité. A certains endroits, des formations de rouille couvrant partiellement les hublots donnaient l'impression de paupières sur des yeux en larmes, comme si le *Titanic* pleurait sur son destin. Je pouvais voir aussi des quantités de stalactites brun-rouge de rouille, comme des pendeloques de glace au bord des toits des chalets de montagne en hiver ; je les baptisai : des "rouillures". Il s'avéra que ces formations étaient extrêmement fragiles ; si notre engin les touchait, elles se dissolvaient en nuages de fumée.

En nous élevant au-dessus du pont avant, et en nous déplaçant vers l'arrière, je fus impressionné par la taille extraordinaire de chaque agrès : gigantisme des chaumards et des cabestans de bronze luisant qu'on utilisait pour enrouler les amarres et les aussières, énormité

(A droite) La courbure du bastingage à la pointe de l'étrave.

(Ci-dessous) Aspect du bastingage de la proue du *Titanic*, voici 74 ans.

(En bas) Les pendeloques de rouille (les "rouillures") dégouttant des énormes bittes d'amarrage.

des anneaux des chaînes d'encres. Quand on avait le nez dessus, tout cela était absolument titanesque !

Je fis marquer un temps d'arrêt pour avoir une vision précise du plancher des ponts, environ un mètre cinquante au-dessous de nous. Mon cœur alors s'arrêta de battre : "Il n'y en a plus !", murmurai-je. La quasi-totalité du bois des ponts avait été dévorée. Des millions de tarets, rongeurs de bois, avaient causé plus de ravages que l'iceberg et l'eau salée. J'étais en train de me demander si les poutrelles métalliques qui subsistaient sous les planches de teck supporteraient notre poids si *Alvin* se posait dessus.

Nos allions bientôt le savoir. Très lentement, nous nous mîmes en position pour une tentative d'atterrissage sur le pont avant, juste devant le mât de misaine

abattu. En opérant cette approche, nos cœurs battaient à grands coups.

Nous savions qu'il existait un réel danger de passer à travers le pont. L'engin se stabilisa, se posa, et l'on entendit un craquement sourd mais puissant. Si le pont flanchait, nous resterions irrémédiablement prisonniers de l'épave. Mais il tint bon et le terrain paraissait solide. Ceci signifiait qu'il existait de bonnes chances pour que l'on puisse recommencer l'opération ailleurs, en d'autres sites d'atterrissage.

Nous décollâmes avec prudence et nous nous dirigeâmes vers l'arrière. La silhouette floue de la dunette du paquebot apparut dans nos hublots : d'abord le Pont B, puis le Pont A, enfin le Pont des Embarcations, celui situé tout en haut, où était installée la passerelle. C'était de là que le Commandant Smith et ses officiers avaient guidé le navire à travers l'Atlantique.

Le bâtiment en bois avait disparu, probablement démantelé au cours du naufrage. Mais le piédestal de bronze du chadburn supportant la roue de gouvernail était encore debout sur le plancher, intact, et les courants l'avaient poli et, par leur frottement continu, rendu brillant. Nous disposions, sur cet espace vide, d'un second site d'atterrissage sûr.

J'éprouvais un sentiment étrange pendant cette exploration de l'épave. En regardant par nos hublots, je pouvais facilement imaginer les gens se promenant sur les ponts et contemplant le paysage marin par ces

La dunette du *Titanic* en 1912

La dunette était le domaine du Commandant Smith d'où il dirigeait le navire. Une coupe de la timonerie permet de distinguer les instruments de navigation :

1) Le chadburn (transmetteur d'ordres) accouplé à la roue du gouvernail.
2) Le téléphone où fut reçu le message annonçant la survenance de l'iceberg fatal aperçu par les guetteurs.
3) Le transmetteur d'ordres à la salle des machines.
4) Le téléphone interne utilisé pour les manœuvres d'accostage.
5) L'habitacle du compas de route.
6) La roue du gouvernail auxiliaire.
7) L'aileron de passerelle et son abri.
8) La cheminée avant.
9) Le bossoir avant du canot n° 2.
10) Les grues pour hisser les marchandises.
11) L'écoutille de la cale n° 3.
12) Les quartiers des officiers.
13) Les sirènes.

La dunette du *Titanic* en 1986

Avec la timonerie balayée par une vague et le mât de misaine tombé en travers, la dunette a maintenant changé d'aspect.

1) Le chadburn sans la roue de gouvernail.
2) Les restes du socle de la timonerie.
3) Le mât de misaine abattu.
4) Le projecteur du mât.
5) Le bossoir du canot de sauvetage disloqué.
6) Une suite de luxe de première classe.

7) Les abris démolis des ailerons de la passerelle.
8) L'ouverture au-dessus de laquelle se dressait la cheminée.
9) Un bossoir du canot de sauvetage n° 2.
10) Les grues de marchandises.
11) L'écoutille de la cale n° 3.

La roue du gouvernail en bois (**à l'extrême gauche**) a disparu mais le pied de bronze du chadburn (**à gauche**) est toujours en place sur la passerelle.

Jason Junior éclaire le foyer du Grand Escalier. *Alvin* est posé
sur le Pont des Embarcations, juste à côté du dôme vitré effondré
qui surplombait l'escalier.
Depuis l'intérieur de notre sous-marin, nous guidons *J.J.* descendant
la cage d'escalier jusqu'au pont B.

mêmes baies vitrées à travers lesquelles j'observais l'intérieur du navire. C'était une très curieuse impression que
de se trouver au fond de l'océan et de revivre un frag-
ment d'histoire déjà ancienne.

Tout à coup, alors que nous nous élevions le long
du flanc bâbord, le sous-marin fut secoué d'un choc,
fit entendre un bruit de heurt et une cataracte de rouille
couvrit nos hublots. "Nous avons heurté quelque chose,
criai-je. Qu'est-ce que c'est ?"
"Je n'en sais rien, répondit le pilote. Je fais marche
arrière !" Les surplombs invisibles sont le cauchemar
permanent de tout pilote d'engin sous-marin. Très pru-
demment, notre pilote nous éloigna de la coque et fit
remonter l'appareil. Là, en face du hublot avant, gisait
un grand bossoir de manœuvre de canot de sauvetage,
renversé. Nous avions touché un de ses bras métalliques qui soutenaient les canots lors de leur mise à l'eau.

Celui qui se tendait vers nous faisait partie de la
paire qui avait permis d'affaler le canot n° 8, celui dans
lequel Mme Isidor Straus avait refusé d'embarquer. Elle
était la femme du propriétaire de Macy's, le grand magasin à succursales multiples de New York. Quand on
lui avait donné une chance de se sauver en prenant
place dans cette embarcation, elle s'était retournée vers

son mari en disant : "Nous avons vécu ensemble pendant de longues années. Où vous irez, j'irai !" Puis, calmement, tous deux s'étaient installés, chacun dans une
chaise longue, en attendant sereinement la mort.

Maintenant, les yeux rivés aux hublots, je croyais
voir le Pont des Embarcations grouillant de passagers.
Je pouvais presque entendre l'appel "Les femmes et les
enfants d'abord !"

Nous savions, par les photographies prises l'année
dernière, que la partie arrière s'était détachée du navire,
aussi avons-nous continué notre exploration vers
l'arrière jusqu'à l'endroit où se terminait la partie avant
intacte. Juste derrière le trou béant au-dessus duquel
se dressait autrefois la deuxième cheminée, le pont commençait d'accuser une pente dangereuse.

Les lignes élégantes du navire disparaissaient dans
un chaos infernal de tôles broyées, de fenêtres renver-

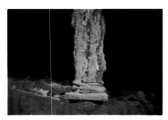

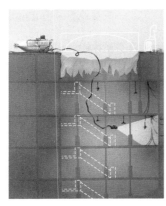

sées et un fouillis sauvage de pièces métalliques. Nous en avions assez vu pour savoir que les ponts du navire s'étaient écrasés les uns sur les autres comme un accordéon géant. En raison du courant extrêmement violent qui nous poussait vers cette épave menaçante, nous préférâmes faire demi-tour et repartir vers la surface.

Le lendemain, nous nous sommes posés sur le pont, tout près des premières marches du Grand Escalier, en un endroit qui, autrefois, était recouvert d'un élégant dôme vitré. Le dôme n'avait pas survécu à l'engloutissement, mais l'escalier était toujours en place : pour moi, il représentait un fabuleux exemple du luxe inouï du navire. *Alvin* était posé, parfaitement stable, sur le Pont des Embarcations du *Titanic*, exactement au-dessus des cages des trois ascenseurs qu'empruntaient les passagers de première classe, quand ils ne voulaient pas gravir les degrés du splendide Grand Escalier.

Quant à nous, nous voulions au contraire que notre robot *J.J.*, le "R.2.D.2. des Profondeurs", emprunte cet escalier. Ce devait être le premier essai de notre "œil-nageant" télécommandé, et nous étions passablement nerveux à son sujet. Nul ne savait comment *J.J.* se comporterait sous l'énorme pression de trois tonnes au centimètre carré qui s'exerce à cette profondeur ! En

manœuvrant le levier de commandè, un peu comme le "joystick" d'un jeu vidéo, l'opérateur fit sortir *J.J.* avec précaution de son abri fixé sur l'avant de *Alvin*. Très lentement, *J.J.* commença sa descente dans le noir béant du Grand Escalier. Nous larguions le câble au fur et à mesure qu'il s'enfonçait.

Sur notre écran de télévision, nous regardions ce que *J.J.* "voyait". Au début, il ne vit rien ! Mais, alors qu'il progressait de plus en plus profondément, une salle apparut sur un côté du palier du Pont A. *J.J.* pivota sur lui-même et notre opérateur aperçut quelque chose dans le lointain. "Regardez-moi cela ! murmura-t-il. Regardez ce lustre !"

(A gauche) L'ouverture fantomatique de la fenêtre d'un appartement de luxe de première classe.

(En haut) J.J. essaie de prendre des photographies de l'intérieur en gros plans.

(Ci-dessus) Une fenêtre des appartements du Commandant Smith.

A mon tour, je pus aussi l'admirer. "Non ! Ça ne peut pas être un lustre, dis-je. Il est impossible qu'il ait subsisté !"

Je ne pouvais en croire mes yeux. Le navire avait fait une chute de près de 4 000 mètres, heurtant le fond avec la puissance d'un train percutant dans le flanc d'une montagne et pourtant, il y avait là, devant nos yeux, une lampe absolument intacte. J.J. quitta le palier et entra dans la salle, essayant de s'approcher à quelques centimètres de cette lampe. A notre stupéfaction, nous vîmes une vaporeuse branche de corail qui jaillissait de son support. Nous pouvions même distinguer les douilles où étaient vissées les ampoules ! "C'est vraiment fantastique !", dis-je en exultant.

"Bob, notre temps tire à sa fin. Il faut regagner la surface !" Les paroles de notre pilote coupèrent net mon excitation. Nous étions loin à l'intérieur du *Titanic*, en train de descendre le Grand Escalier, et d'un seul coup, on détruisait mon rêve en m'annonçant que nous avions épuisé tout le temps que les marges de sécurité nous accordaient. Je savais que notre pilote se bornait à obéir aux consignes, mais j'avais envie de hurler de rage.

Notre petit soldat-automate émergea du trou noir et tourna ses phares vers nous, baignant l'intérieur de la nacelle d'un lumière surnaturelle. Pendant un instant, j'eus la sensation qu'une fusée spatiale débarquant d'une planète inconnue tournait autour de nous. Mais ce sentiment se changea vite en gratitude envers notre petit compagnon. J.J. avait merveilleusement réussi.

Au cours de la plongée du lendemain, nous avons survolé ce qui avait été l'appartement du Commandant Smith. Les murs extérieurs étaient renversés sur le pont, comme si un géant avait écrasé son poing dessus. Nous étions à quelques centimètres d'une des fenêtres de la cabine. Etait-ce celle, me demandai-je, que le Commandant avait laissée entrouverte pour aérer sa chambre avant d'aller se coucher ?

Nous nous sommes ensuite posés sur le côté tribord du Pont des Embarcations. En planant avant d'atterrir, j'avais l'impression de visiter une ville fantôme dont, un beau jour, tous les habitants auraient plié bagages, fermé les maisons et les boutiques, et abandonné les lieux.

Un bossoir vide se dressait à proximité. Plus loin, je voyais les berceaux sur lesquels les canots de sauvetage avaient été arrimés. C'était sur ce pont que les passagers s'étaient massés en attendant de prendre place dans ces canots. Jusqu'à la dernière minute, ils n'avaient

(Ci-dessus) *J.J.* "regarde" par une des fenêtres du gymnase. (Encadré) Le gymnase en 1912. (En haut, à droite) Le cheval mécanique était un des appareils d'entraînement sportif du gymnase. (En bas, à droite) Le levier commandant la marche du cheval mécanique est toujours en place.

pas réalisé qu'il n'y avait pas assez de places pour se sauver tous. C'était également là que le courageux orchestre du bord avait joué des airs entraînants pour maintenir haut le moral de l'équipage alors que le pont penchait de plus en plus.

Puis *Jason Junior* sortit de son abri pour effectuer une reconnaissance sur ce pont. En s'éloignant, il "jetait un regard", en pointant ses caméras T.V., par les fenêtres des cabines de première classe ainsi que par plusieurs portes, dont une qui indiquait "Entrée des 1res Classes". En passant devant les baies du gymnase, je pus voir ce qui restait de certains de ses équipements sportifs, dans un fouillis de débris, notamment la grille de protection du moteur du chameau électrique, un ancien appareil d'entraînement pour l'équitation.

On apercevait aussi des sortes de roues et même un levier de manœuvre. Presque tout le plafond de la pièce était couvert de rouille. C'était ici que le moniteur, en

pantalon de flanelle blanche, avait encouragé les amateurs à venir essayer ses appareils de gymnastique. Et, au cours de la nuit fatale, de nombreux passagers s'y étaient réunis, au chaud, pendant qu'on préparait la mise à l'eau des embarcations.

Je suivais *J.J.* loin sur le pont, tournant de ci de là pour mieux voir à l'intérieur par les portes et les fenêtres. Nous avions l'impression que notre robot se dirigeait de lui-même, selon sa volonté, vivant une vie autonome.

Puis vint le moment de le ramener au bercail. Nous étions demeurés quatre heures sur le *Titanic*. Il était maintenant temps de revenir en surface.

La matinée du 18 juillet était belle et chaude, mais j'étais préoccupé par la mission à remplir ce jour-là. Nous avions décidé d'aller explorer le champ de débris du *Titanic*. Sur les quelques 650 mètres séparant la partie avant de l'épave de celle arrière, toutes sortes d'objets échappés du navire s'étaient dispersés, libérés par la rupture de la coupe. On trouvait de tout : depuis des tas de charbon jusqu'à des ossatures tordues de bancs de pont, tombés sur le fond lorsque le paquebot s'était brisé en deux parties. Mais je me demandais bien ce que nous allions trouver parmi ce fouillis. On m'avait souvent

La partie avant du *Titanic*

1) Le bord arrondi de la promenade en plein air du Pont A.

2) Stalactites de rouille pendant des fenêtres intérieures dans la partie couverte du Pont A.

3) Ce treuil fut utilisé une seule fois pour hisser les canots de sauvetage au cours d'un essai dans le port.

4) Une stalactite de rouille tombe par-dessus la vitre d'un hublot du Pont C.

5) Les chaînes d'ancres tournaient autour de ce cabestan.

6) *J.J.* examine un chaumard (bitte d'amarrage) sur le pont du gaillard d'avant.

7) Le bras d'un bossoir de manœuvre d'un canot de sauvetage avec son palan et sa poulie encore fixés. D'autres bossoirs identiques sont représentés sur cette peinture.

8) Pendeloques de rouille ornant la proue du *Titanic*.

9) La grue de relevage des ancres.

10) Les chaînes d'ancres sur le gaillard d'avant.

11) L'ancre tribord.

12) Le nid-de-pie sur le mât abattu.

13) Les grues de chargement des marchandises en cales.

14) Une porte fermée entre les zones des 2ᵉ et des 3ᵉ classes.

15) Le piédestal sur lequel était fixée la roue du gouvernail.

16) Le toit effondré dominant le Grand Escalier.

17) Le gymnase.

18) Un joint de flexibilité ouvert dans les superstructures du navire.

19) Un bossoir de canot de sauvetage auquel il manque un bras.

20) Des tôles de la coque vraisemblablement endommagées dans l'abordage avec l'iceberg.

Le Champ des Débris

Entre les deux parties du *Titanic* sont répandus des milliers d'objets qui se sont échappés de la coque lorsqu'elle a coulé.

La partie arrière.

L'armature de fer forgé d'un des bancs de pont du *Titanic*.

Un pied de lit métallique semblable à celui que l'on voit à côté de Jack Thayer sur l'image figurant en page 17.

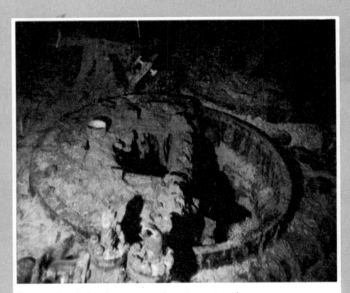

Un quart de métal et deux serrures de portes sont posés sur la face circulaire d'une chaudière rouillée.

questionné sur la possibilité de découvrir des cadavres. C'était une hypothèse assez sinistre. Nous n'avions relevé aucune trace de vie humaine jusqu'ici, mais je pensais que si un indice devait se révéler, ce serait au cours de cette plongée.

Quand les premiers déchets de l'épave apparurent, éparpillés sur le fond, j'eus l'impression de visiter un musée bombardé. Des milliers et des milliers d'objets disséminés un peu partout, la plupart parfaitement préservés. Les entrailles du *Titanic* parsemaient le sol : des tasses et des assiettes, des plateaux d'argenterie, des casseroles et des poêles, des bouteilles de vin, des bottes, des pots de chambre, des radiateurs électriques de chauffage, des baignoires, des bagages et bien d'autres cho-

Cette cuvette est identique à celle que l'on peut voir derrière Ruth Becker sur l'image de la page 16.

La partie avant

La porcelaine blanche de cette baignoire est presque entièrement cachée sous la rouille, contrastant avec son aspect lorsqu'elle était neuve.

(Ci-dessus) Cette statuette d'une déesse grecque ornait le dessus de la cheminée du somptueux grand salon des premières classes du *Titanic*. Nous l'avons photographiée gisant au fond de la mer au milieu de grosses pierres tombées des icebergs en train de fondre dans les eaux de la surface.

ses encore. Tout à coup, sans transition, je me trouvai en face des deux yeux fantomatiques d'un petit visage blafard et qui me souriait ! Pendant une fraction de seconde, je crus que c'était un cadavre et je manquai de mourir de peur ! Mais ce que je regardais n'était en fait que la tête de porcelaine d'une poupée dont les cheveux et le corps avaient disparu !

Ma surprise se changea en chagrin en pensant à l'enfant à qui cette poupée avait appartenu. Cette petite fille avait-elle survécu dans un des canots ? Ou bien, avait-elle serré cette poupée dans ses bras alors qu'elle se noyait dans ces eaux glacées ?

Nous avons continué de parcourir ce paysage hallucinant. Il y avait tant de choses disséminées qu'il

Les animalcules marins ont dévoré toute la poupée dont nous n'avons retrouvé que la tête (ci-contre, à droite) dans le champ des débris du *Titanic*. C'était une poupée d'origine française, très chère, semblable à celle figurant dans l'encadré (à droite), ayant très certainement appartenu à l'enfant d'un passager de première classe ; peut-être à Loraine Allison, de Montréal, âgée de 3 ans. Elle est la seule enfant de première classe qui n'ait pas réchappé au naufrage. On peut la voir (ci-dessus) avec son frère cadet.

devint difficile d'en dresser l'inventaire. Nous sommes passés le long d'une des chaudières du navire au sommet de laquelle était perché, en équilibre précaire, un quart de métal pareil à ceux que l'équipage utilisait pour boire. On aurait dit qu'il avait été déposé là par un soutier juste avant que la mer fasse irruption dans la salle des machines. C'était extraordinaire de penser que ce quart était tombé, en virevoltant comme une feuille morte détachée d'une branche d'arbre, pendant toute la nuit pour venir atterrir juste au faîte d'une chaudière !

Subitement, dans les phares avant de *Alvin*, nous avons remarqué, en face de nous, un coffre-fort. J'avais entendu l'histoire d'un fabuleux trésor, comprenant entre autres un livre à la couverture d'or sertie de joyaux, resté enfermé au fond d'un des coffres du navire alors qu'il coulait. Nous tenions là une chance comme il ne s'en présente qu'une au cours d'une vie, et je voulais la tenter.

Le coffre-fort gisait renversé, la porte orientée vers le haut. La poignée paraissait être faite d'or, bien que je sache que ce n'était que du bronze. A côté, je pouvais voir un petit cadran doré, rond et, au-dessus des deux, un joli petit écusson brillant.

Pourquoi ne pas essayer de l'ouvrir ? Je vis les doigts d'acier de la pince du bras articulé de *Alvin* se refermer sur la poignée. La pince commença de tourner dans le sens des aiguilles d'une montre et, à ma grande surprise, la poignée pivota facilement. Puis elle s'arrêta. La porte ne voulait pas s'ouvrir, la rouille l'avait sans doute bloquée. Je me sentais comme un gamin pris la main dans un sac de bonbons ! "Bon ! Ça va ! pensai-je. De toutes façons, il est probablement vide !" En fait, lorsque plus tard nous avons minutieusement repassé les films vidéo que nous avions pris, nous avons pu voir que le fond du coffre s'était effondré sous l'effet de la rouille.

La poignée et le cadran de bronze de ce coffre-fort **(ci-dessus, à droite)** sont encore brillants. Nous avons fait tourner la poignée **(ci-dessus)** avec le bras manipulateur d'*Alvin*.
Un livre, dont la couverture était sertie de 1 000 pierres précieuses **(en haut, à gauche)** avait sans doute été enfermé dans un des coffres du *Titanic*.

Le trésor, pour autant qu'il y en ait eu un, devait s'être répandu dans la boue, quelque part alentour, mais nous n'en avons rien vu ! Heureusement, la promesse que je m'étais solennellement faite de ne rien rapporter du *Titanic* ne fut pas mise à trop rude épreuve.

Deux jours s'écoulèrent avant que je redescende sur le *Titanic*. Après un repos bien mérité, j'avais hâte d'y revenir une fois de plus. Cette fois-ci, nous avions projeté d'aller explorer la partie arrière dévastée, éloignée de plus de 650 mètres de la proue dont elle avait été sectionnée et arrachée au cours de sa chute vers le fond et elle gisait maintenant, hérissée de ferrailles affreusement déchiquetées.

Nous envisagions de faire atterrir *Alvin* derrière l'étambot et d'envoyer *J.J.* en reconnaissance sous la poupe surplombante. A moins qu'elles ne se soient détachées pendant le naufrage, les trois immenses hélices devaient se trouver toujours à leur place, entourant l'énorme gouvernail de 101 tonnes !

Nous fîmes un atterrissage en douceur et je constatai alors qu'un des moteurs de propulsion de *J.J.* ne marchait pas. Notre plongée risquait d'être un échec total. Je demeurai, assis lugubrement, à contempler la vase par mon hublot latéral, et subitement, j'eus l'impression que la boue se déplaçait ! Notre pilote faisait avancer très doucement *Alvin* sur son patin, en direction de la dangereuse poupe en corniche, à la recherche des hélices ! C'était de la folie ! Que se passerait-il si un débris de l'épave tombait et nous écra-

sait ! Ce faisant, le pilote violait la règle de sécurité numéro un de la conduite d'*Alvin* : ne jamais s'aventurer au-dessous d'un objet construit par l'homme ! Mais notre pilote était un expert, il devait savoir ce qu'il faisait et peser soigneusement les risques qu'il prenait.

Je pouvais voir le sol en avant de nous, couvert de "rouillures" tombées de la lisse de la poupe, plus haut. Jusqu'à présent, nous n'avions eu que la mer au-dessus de nos têtes. Franchir cette frontière était une audace insensée. Une fois de l'autre côté de la ligne de démar-

cation, il n'y aurait plus aucun moyen sûr d'échapper si un accident survenait. Aucun de nous ne parlait. Le seul bruit dans l'engin était celui de nos respirations.

Lentement, une muraille massive de plaques de tôles noires parut progresser vers nous et nous dominer. La coque s'approchait de toutes parts, nous cernant. En arrivant tout près, je constatai que, comme la proue, l'arrière était profondément enterré — sur environ quinze mètres — dissimulant les hélices. Seuls les quinze mètres supérieurs du gouvernail géant émergeaient de la boue.

La plaque que nous avons déposée sur la poupe
en mémoire de ceux qui ont péri sur le *Titanic*.

Avec Alvin, nous explorons au-dessous de la poupe surplombante
la partie arrière très endommagée, et nous photographions
le gouvernail profondément enfoui dans la vase **(en haut)**.
Cette partie arrière est tristement différente de l'aspect qu'elle présentait
le jour de l'appareillage **(ci-dessus)**.

"Partons d'ici en vitesse", dis-je, pas rassuré du tout.
Toujours aussi doucement, *Alvin* fit demi-tour et reprit
la trace laissée par son ski à l'aller. Au moment où nous
passions la ligne, je soupirai de soulagement ! Nous
étions hors de tout danger et fort heureux que cette
aventure hasardeuse se termine bien.

Avant de quitter le fond cette fois-là, il me restait
encore une mission à remplir. Je voulais déposer une
plaque commémorative sur la poupe déchiquetée en

souvenir de tous ceux qui avaient perdu la vie à bord
du *Titanic*. Ceux qui devaient mourir s'étaient regrou-
pés à l'extrémité arrière quand le navire s'était enfoncé,
la proue la première. Ç'avait été leur ultime refuge.
Alors, nous remontâmes le long du mur d'acier jusqu'au
point le plus haut et, arrivés à bonne distance, précau-
tionneusement, le bras manipulateur de *Alvin* dégagea
la plaque de l'abri où nous l'avions fixée à l'extérieur
de notre engin et, délicatement, la largua. Nous la regar-
dâmes lentement descendre pour se poser sur le pont.

Pendant notre décollage et le début de notre ascen-
sion, la caméra garda la plaque dans le champ de ses
objectifs aussi longtemps qu'elle put. A mesure que nous
nous élevions, elle s'amenuisait et elle s'évanouit bientôt dans l'obscurité.

Nous avons effectué deux autres plongées sur le
Titanic. A la fin de la seconde, je savais que j'avais
exploré pour la dernière fois ce grand vaisseau. Deux
heures et demie plus tard, quand nous fûmes repêchés
par l'*Atlantis II*, tout le monde à bord était prêt pour
le retour au port d'attache. Plus tard, dans la nuit, une
fête folle fut organisée mais, au milieu de ces réjouis-
sances, je ne pouvais m'empêcher de penser au *Titanic*, à ceux qui l'avaient construit, à ceux qui avaient
navigué à son bord, à ceux qui avaient péri avec lui.

CHAPITRE SIX

La Solution des Mystères

EN ACCOSTANT AU PORT, A LA FIN DE NOTRE EXPÉ-dition de 1986, notre travail avait en fait à peine commencé. Nous devions maintenant examiner, analyser des milliers de photographies et visionner des kilomètres de films vidéo enregistrés au fond des mers pour voir si nous pouvions jeter une nouvelle lumière sur le drame du *Titanic*. Notre espoir était, entre autres, de résoudre un certain nombre de mystères qui entouraient encore ce navire de légende.

Nous ne saurons sans doute jamais avec précision quel coup l'iceberg a porté dans le flanc tribord du *Titanic*. Une partie trop importante en est ensevelie trop profondément dans la boue, pour que personne puisse y aller voir. Mais nous avions, pour notre part, constaté que des plaques de tôle d'acier bordant la coque avaient sauté de leurs coutures de rivets. Il n'est pas impossible que l'iceberg ait percé des trous dans la carène, mais il se peut aussi qu'il ne l'ait même pas crevée. A mon sens, la formidable puissance du heurt de l'iceberg contre la coque a suffi pour entraîner la dislocation des tôles qui se sont écartées sous l'impact, laissant alors l'eau faire irruption à l'intérieur par ces fentes. Mais quelle que soit la nature de la blessure, elle était assez grave pour faire couler le paquebot.

Avant que nous ayons découvert l'épave, beaucoup de gens croyaient que le *Titanic* avait sombré d'une seule pièce. Pourtant plusieurs témoins, dont Jack Thayer, avaient affirmé que le navire s'était, en fait, brisé en deux, l'avant plongeant alors que l'arrière se dressait vers le ciel, pivotant et demeurant suspendu avant de couler à son tour, quelques instants plus tard. Maintenant que nous avons vu de nos yeux les deux parties, reposant sur le fond à 650 mètres l'une de l'autre et pointant chacune dans une direction différente, il apparaît certain que la rupture s'est produite en surface, ou, du moins, juste au début de la chute vers le fond.

Lorsque la proue s'enfonça et que la poupe s'éleva au-dessus de l'eau, la tension exercée sur la coque devint si forte que le navire se cassa, juste entre la deuxième et la troisième cheminée. Les témoins, dans les canots de sauvetage, contemplèrent, horrifiés, cet atroce spectacle. Selon un des survivants, la proue se détacha "avec un bruit de tonnerre" et s'enfonça aussitôt. Elle fut suivie de près par de nombreux appareils qui s'arrachèrent de leurs socles et s'engloutirent dans l'océan pendant que la coque et les superstructures plongeaient de leur côté. Plus ces morceaux étaient lourds, plus vite ils coulèrent.

On peut penser, raisonnablement, que la proue toucha le fond avant la partie arrière, son extraordinaire force d'inertie la faisant s'enterrer profondément dans la vase du fond. Quelques minutes plus tard, la poupe heurtait le sol à son tour, s'enfouissant elle aussi sous

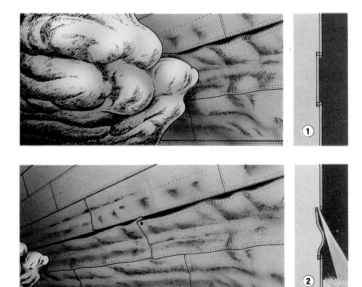

L'iceberg, raclant contre les tôles de la coque du *Titanic* (**en haut**), a fait sauter de nombreux rivets qui les maintenaient en place (**en haut, à droite**). Ceci a permis à l'eau de s'infiltrer à l'intérieur par les coutures déchirées (**ci-dessous, à droite**).

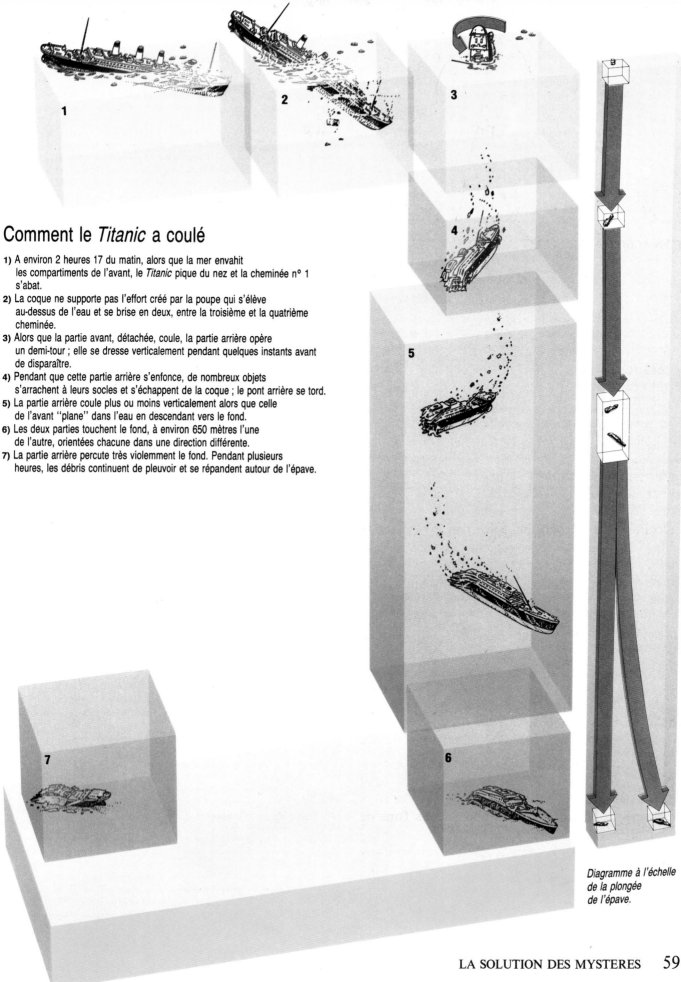

Comment le *Titanic* a coulé

1) A environ 2 heures 17 du matin, alors que la mer envahit les compartiments de l'avant, le *Titanic* pique du nez et la cheminée n° 1 s'abat.

2) La coque ne supporte pas l'effort créé par la poupe qui s'élève au-dessus de l'eau et se brise en deux, entre la troisième et la quatrième cheminée.

3) Alors que la partie avant, détachée, coule, la partie arrière opère un demi-tour ; elle se dresse verticalement pendant quelques instants avant de disparaître.

4) Pendant que cette partie arrière s'enfonce, de nombreux objets s'arrachent à leurs socles et s'échappent de la coque ; le pont arrière se tord.

5) La partie arrière coule plus ou moins verticalement alors que celle de l'avant ''plane'' dans l'eau en descendant vers le fond.

6) Les deux parties touchent le fond, à environ 650 mètres l'une de l'autre, orientées chacune dans une direction différente.

7) La partie arrière percute très violemment le fond. Pendant plusieurs heures, les débris continuent de pleuvoir et se répandent autour de l'épave.

Diagramme à l'échelle de la plongée de l'épave.

Nous réfléchissons sur certains des mystères qui entourent le *Titanic*, au cours de notre voyage de retour à bord de l'*Atlantis II*.

des mètres de boue. Ensuite, au fil des heures, les morceaux et les débris plus légers atterrirent, se répandant sur le fond de l'océan. C'étaient ces objets que nous avions découverts dans le champs des débris.

Les grands fonds océanographiques sont des lieux paisibles. Après son dramatique naufrage, l'épave du *Titanic* repose à une profondeur de 3 850 mètres, où les changements se mesurent en décennies plutôt qu'en jours. Les premiers objets qui se désagrégèrent furent les matières organiques telles que la nourriture, les corps humains dont la chair et le squelette furent dévorés par les poissons et les crustacés abyssaux. Tous les ossements épargnés par ces animaux furent dissous par la salinité de la mer. Pour les vêtements, ce dut être plus long, probablement quelques années.

Si, lors de nos plongées, nous n'avons trouvé aucun reste humain, nous avons par contre découvert des phénomènes horrifiants. En analysant des photographies prises par *Angus*, un affreux spectacle nous sauta aux yeux : deux chaussures gisant l'une à côté de l'autre. Il est absolument certain qu'elles n'avaient pas atterri ainsi par hasard. C'était comme si elles étaient encore aux pieds de l'homme invisible. Peu après, une autre paire de chaussures se révéla sur une autre photographie, posée sur le fond de la même manière que la première. Puis nous en repérâmes d'autres encore. Il n'y avait plus aucun doute : nous examinions ce qui subsistait des malheureuses victimes dont les corps s'étaient volatilisés depuis longtemps.

J'avais espéré que les autres expéditions qui exploreraient l'épave du *Titanic* la laisseraient dormir en paix de son dernier sommeil. A mon grand désappointement, une équipe française, soutenue par des financiers suisses et américains, plongea sur l'épave au cours de l'été 87 pour ramasser des objets dans le champ des débris et les ramener à la surface. A mes yeux, cette expédition, menée dans un but bassement mercantile et lucratif, représente un viol pur et simple du tombeau des victimes du drame. Comme une des survivantes, Eva Hart, me le déclara : "Je suis violemment opposée à cette profanation. Plonger là en-bas et en ramener quelque chose relève de la piraterie ! Les assiettes qu'ils ont remontées sont peut-être celles dans lesquelles mon père a pris son dernier repas !" J'éprouve tout de même un certain réconfort en sachant qu'en définitive, aucun profit ne sera retiré de ces objets sur le territoire des Etats-Unis. Une loi a été votée par le Parlement Américain punissant quiconque mettra en vente, aux U.S.A., un souvenir du *Titanic*. Le Congrès a également adopté une résolution demandant que le *Titanic* soit considéré comme un mémorial international et demeure inviolé.

Le seul trésor que je rapporte du *Titanic* est la vision que mes yeux en conservent. La première apparition du *Titanic*, au cours de notre deuxième plongée, ne se dissipera jamais : l'immense lame noire de l'étrave surgissant du néant obscur. En tout, j'ai exploré neuf fois le *Titanic* et je crois pouvoir dire que je le connais bien. Quand nous nous posions sur un de ses ponts et que nous visitions son intérieur ravagé, je revivais les scènes bien connues de la tragédie de 1912, sur les lieux mêmes où elles s'étaient produites. Après chaque plongée, je remontais sous le choc de ce que j'avais pu voir.

A l'époque, le naufrage du *Titanic* fut aussi cruellement ressenti que, quelques dizaines d'années plus tard, l'assassinat du Président John F. Kennedy. La vision du monde fut bouleversée par ces tragédies. Quelque chose paraissait définitivement perdu. Le plus récent exemple, de nos jours, fut le drame de l'explosion de la navette spatiale *Challenger*. Comme pour le *Titanic*, on avait trop fait confiance à la pure technologie. Dans les deux cas, les puissances naturelles furent sous-estimées. Il semble qu'il y ait encore bien des leçons à tirer de l'histoire du *Titanic*.

Le *Titanic* s'en est allé, pour de bon ! De cela, je suis à la fois triste et heureux. Le fond de l'océan est un lieu où règne la paix éternelle. A l'avenir, quand je repenserai au *Titanic*, je le verrai, se dressant sur le fond, ayant enfin trouvé le repos.

EPILOGUE

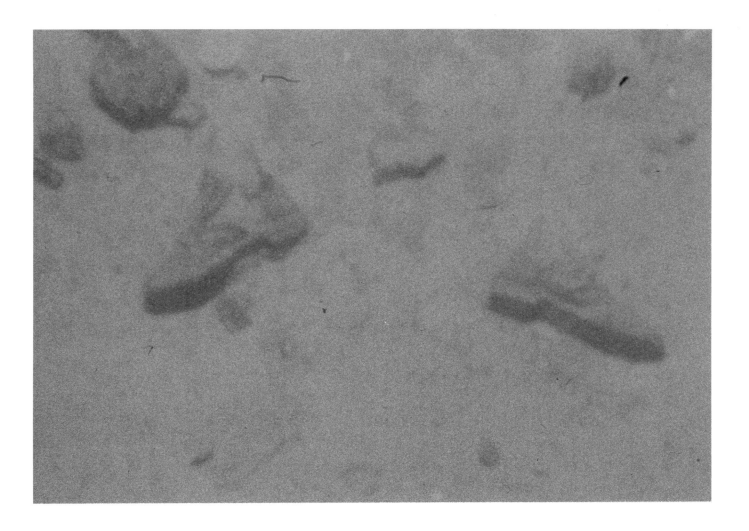

Des paires de chaussures assorties, là où ont reposé des cadavres, nous rappellent que le *Titanic* est un cimetière.

RUTH BECKER RETROUVA SA MÈRE, SA SŒUR, ET son frère à bord du *Carpathia*. Sa famille alla vivre par la suite aux Etats-Unis, où Ruth se maria, eut trois enfants et fut institutrice. Aujourd'hui, elle a pris sa retraite et vit en Californie.

Jack Thayer aperçut sa mère dès qu'il mit le pied sur le dernier barreau de l'échelle accrochée au pont du *Carpathia*. Elle en fut folle de joie mais éprouva un immense chagrin en apprenant que son mari n'avait pas survécu. Plus tard, Jack écrivit un livre, intitulé : "Le Naufrage du *Titanic*", pour raconter son extraordinaire aventure.

Harold Bride s'évanouit en arrivant sur le *Carpathia*. Il reprit vite conscience et, bien que souffrant de graves gelures aux pieds, il passa la plupart du temps du voyage vers New York à aider l'opérateur radio du *Carpathia* pour diffuser les nouvelles du désastre.

Jack Phillips, Milton Long, le Commandant Smith et plus de 1 500 personnes ont disparu pour toujours.

GLOSSAIRE

Agrès : Equipements mobiles d'un bateau.

Angus : "Acoustically Navigated Geological Underwater Survey". Nom formé des initiales d'un terme scientifique, désignant un traîneau de tubes d'acier portant des appareils de photographie. Ce traîneau est remorqué au bout d'un long câble métallique. Il peut prendre des photographies des fonds sous-marins.

Argo : Nom d'un autre appareil constitué également d'un traîneau de tubes mais équipé de caméras de télévision. Les prises de vues sont transmises en temps réel par le câble de remorque jusqu'aux moniteurs du laboratoire, à bord du navire en surface, pendant que *Argo* survole le fond à une altitude de 20 à 30 mètres.

Bâbord : Partie gauche d'un navire, en regardant vers l'avant.

Ballast : Réservoir dont la manœuvre de remplissage ou de vidage permet de régler la flottabilité et l'équilibre d'un submersible. Ce mot désigne également des compartiments étanches dans un navire que l'on peut remplir de liquide.

Bastingage : Garde-corps d'un navire (rambarde).

Bossoir : Appareil de levage, sur un navire, utilisé pour relever une ancre ou pour la manœuvre d'un canot de sauvetage. Se compose de deux bras pivotants au bout desquels sont fixées des poulies pour le passage des cordages (garants) servant à hisser ou à descendre.

Cabestan : Treuil à axe vertical, tourné pour commander la manœuvre des amarres ou des chaînes d'ancre.

Carène : Partie immergée de la coque d'un navire. Par extension, se dit aussi de toute la coque.

Chadburn : Appareil transmetteur d'ordres entre la timonerie (ou passerelle) et la salle des machines.

Champ de débris : Vaste zone sur laquelle, entre les parties avant et arrière de la coque, se sont répandus tous les objets échappés du navire après qu'il se soit brisé en deux près de la surface.

Coursive : Couloir, en général dans le sens de la longueur, à l'intérieur d'un bateau et desservant les cabines.

C.Q.D. : Autrefois, signal de détresse : "Come Quick, Danger". Abandonné au profit de "S.O.S." ou, en radiophonie, de "Mayday".

Déhaler : S'éloigner d'une position dangereuse.

Dorsale : Chaîne de montagnes sous-marines.

Ecoutille : Ouverture, généralement rectangulaire, pratiquée dans un pont pour donner accès à une cale ou à un étage inférieur.

Etambot : Limite arrière de la coque d'un navire, où est fixé le gouvernail.

Etrave : Pièce de charpente formant l'extrême avant d'un navire.

Fumeurs Noirs : Sources sous-marines crachant des fluides à très hautes températures (450°).

Géologie marine : Science de la formation et de l'histoire des fonds sous-marins.

Gaillard : Superstructures avant ou arrière d'un navire, généralement surélevées par rapport aux ponts.

Gîte : Inclinaison du navire sur le côté.

Hune : (ou : nid-de-pie) Plate-forme ou abri situé sur un mât comme poste de guet pour des veilleurs.

Jason Junior : Engin sous-marin inhabité, ayant ses propres moyens de propulsion, télécommandé à partir de *Argo* auquel il est relié par une véritable "laisse", utilisé pour l'exploration à l'intérieur du *Titanic*.

Lest : Matière pesante embarquée pour rendre un engin plus lourd que l'eau et dont le largage permet de remonter en surface.

Lisse : Bord d'un pont.

Mât d'artimon : Mât arrière d'un navire.

Mât de misaine : Mât avant d'un navire.

Mille : Mesure de distance équivalant à 1 852 mètres.

Morse : Alphabet composé de points et de traits, inventé par Samuel Morse, que l'on peut utiliser soit par la radio-télégraphie, soit avec une source sonore ou lumineuse.

Nid-de-pie : Voir "Hune".

Nœud : Unité de vitesse marine. Une vitesse d'un nœud correspond à 1 852 mètres à l'heure (1 mille è l'heure).

Passerelle : Partie avant du chateau d'un navire, servant de poste de commandement, disposant d'une vue dégagée tout autour.

Pont des Embarcations : Pont supérieur aux bords duquel sont rangés, sur des berceaux et sous les bossoirs, les canots de sauvetage.

Poupe : Partie arrière d'un navire.

Proue : Partie avant d'un navire.

Radeau : Engin de sauvetage dont le fond est constitué d'un plancher de bois et bordé de toile, repliable.

Rouillures : Nom donné par Robert Ballard aux pendeloques brun-rouge de rouille, coulant du *Titanic* et longues, parfois, de plusieurs dizaines de centimètres. Formations très fragiles ne résistant pas à un contact, même léger.

Sabord : Ouverture dans la paroi d'un navire munie d'un système de fermeture.

S.A.R. : "Sonar Acoustique Remorqué". Appareil d'exploration sous-marine mis au point par l'Institut Français pour l'Exploitation des Mers (IFREMER).

CHRONOLOGIE DE LA VIE DU TITANIC

1907

Elaboration des plans pour la construction de deux super-paquebots de grand luxe, l'*Olympic* et le *Titanic*. Un troisième, le *Britannic*, sera construit plus tard.

1908/1909

La construction de l'*Olympic* et du *Titanic* est entreprise à Belfast, en Irlande.

1910

20 OCTOBRE : l'*Olympic* est lancé avec succès.

1911

31 MAI : la coque du *Titanic* est lancée.

JUIN : l'*Olympic* accomplit son voyage inaugural.

1912

JANVIER : seize canots de sauvetage ainsi que quatre radeaux repliables sont installés à bord du *Titanic*.

31 MARS : les préparatifs du *Titanic* sont achevés.

10 AVRIL : mercredi — jour de l'appareillage :

9 heures 30 / 11 heures 30 : les passagers montent à bord.

Midi : le *Titanic* appareille pour son voyage inaugural.

18 heures 30 : le *Titanic* fait une escale à Cherbourg.

20 heures 10 : le *Titanic* lève l'ancre à destination de Queenstown, en Irlande.

11 AVRIL : jeudi

13 heures 30 : le *Titanic* quitte Queenstown pour New York.

12 ET 13 AVRIL : vendredi et samedi. Le *Titanic* navigue par temps calme et clair.

14 AVRIL : dimanche. Sept messages faisant état de la présence de glaces sont captés par la radio au cours de la journée.

22 heures 40 : les veilleurs aperçoivent un iceberg droit devant. L'iceberg frappe le *Titanic* sur tribord (à droite) à l'avant.

22 heures 50 : l'eau s'engouffre dans la coque et monte de plus de quatre mètres dans les parties basses de l'avant.

Minuit : on annonce au Commandant que le navire peut rester à flot pendant encore deux heures au maximum. Il donne l'ordre d'envoyer des signaux de détresse.

15 AVRIL : Lundi. 0 heure 5 : les ordres sont donnés de débâcher les canots de sauvetage et de rassembler passagers et équipage sur le pont. Mais il n'y a de places que pour moins de la moitié des 2 227 personnes à bord.

Minuit 25 : l'ordre est donné de commencer l'évacuation des femmes et des enfants d'abord. Le *Carpathia*, à 100 kilomètres dans le Sud-Ouest, capte le message de détresse et fait route à toute vitesse vers le lieu du naufrage.

Minuit 45 : le premier canot est mis à l'eau. Il peut emporter 65 personnes, mais il déhale avec seulement 28 rescapés. Les premières fusées de détresse sont tirées. Il en sera lancé huit.

1 heure 15 : la gîte des ponts s'accentue. Les canots sont mieux chargés.

1 heure 40 : la plupart des canots ont quitté le navire. La foule reflue vers l'arrière.

2 heures 5 : le dernier canot s'éloigne. Il reste plus de 1 500 personnes sur le navire en perdition. La gîte devient de plus en plus forte.

2 heures 17 : le dernier message radio est envoyé. Le Commandant Smith dit à l'équipage : "Chacun pour soi !" La proue du *Titanic* est enfoncée sous l'eau. De nombreux passagers et marins sautent par-dessus bord. La première cheminée du *Titanic* s'arrache et tombe, écrasant de nombreuses personnes. Celles qui surnagent dans l'eau glacée meurent peu à peu de froid.

2 heures 18 : les lumières du paquebot vacillent et s'éteignent. De nombreux rescapés voient le navire se briser en deux. La partie avant coule.

2 heures 20 : la partie arrière du *Titanic* se dresse verticalement vers le ciel, se maintient dans cette position quelques instants. Elle se remplit d'eau et finit par couler à son tour.

3 heures 30 : les survivants, dans les canots, aperçoivent les fusées tirées par le *Carpathia* qui arrive à la rescousse.

4 heures 10 : les occupants du premier canot sont repêchés par le *Carpathia*.

8 heures 50 : le *Carpathia* quitte les lieux du naufrage et fait route sur New York avec 705 rescapés.

18 AVRIL : 9 heures : le *Carpathia* arrive à New York.

19 AVRIL/25 MAI : une commission d'enquête sur le désastre du *Titanic* est constituée par le Sénat des Etats-Unis.

22 AVRIL/15 MAI : plusieurs navires sont envoyés sur les lieux du naufrage pour repêcher les cadavres. Il sera retrouvé 238 corps flottant dans les parages.

2 MAI/3 JUILLET : la commission d'enquête britannique tient ses assises.

1913

AVRIL : à la suite du désastre du *Titanic*, la Patrouille Internationale de Surveillance des Glaces est créée pour contrôler les routes maritimes de l'Atlantique Nord.

1914

FEVRIER : le second jumeau du *Titanic*, le *Britannic*, est lancé. Il sera coulé deux ans plus tard, au cours de la Première Guerre Mondiale.

1935

Après 24 ans de bons et loyaux services, l'*Olympic* est désarmé.

1985

1er SEPTEMBRE : une expédition scientifique conjointe, franco-américaine, conduite par le Professeur Robert D. Ballard, découvre l'épave du *Titanic*.

1986

JUILLET : le Professeur Ballard revient sur le *Titanic*. Grâce à un sous-marin, il explore et photographie toute l'épave.

1987

Une expédition française récolte de nombreux objets en provenance de l'épave du *Titanic*. Le Parlement Américain vote une loi faisant du *Titanic* un mémorial international.

AUTRES LIVRES RECOMMANDÉS

"La Découverte du Titanic"
Robert D. Ballard   1987.
Editions Glénat/Madison Press Book
Une relation complète des deux expéditions dirigées par Robert Ballard sur le *Titanic*, avec de très nombreuses photographies.

"A Night to Remember"
Walter Lord   1955
La fascinante description, minute par minute, des événements de la nuit où coula le *Titanic*.

"The Night Lives On"
Walter Lord   1986
De nouvelles réponses aux nombreux mystères entourant le *Titanic*.

"The Story of the Titanic"
Edité par Jack Winocour   1960

"Titanic : Triumph & Disaster"
John P. Eaton et Charles A. Haas   1986
Un livre de référence plein de détails avec des centaines de photographies du navire, de ses passagers et de son équipage.

ICONOGRAPHIE

Abréviations :
W.H.O.I. : Institut Océanographique de Woods Hole. N.G.S. : Association National Geographic Society. © : copyright.

Page 1 de couverture : Peinture de K. Marschall. A gauche : P. Thorsvik © N.G.S. Milieu : Peinture de K. Marschall. A droite : W.H.O.I.

Page 3 de couverture : Peintures de K. Marschall. 1er rabat : P. Thorsvik © N.G.S.

Page 2 : Collection K. Marschall.
3 : Peinture de K. Marschall, Collection D. Felstein.
4/5 : Peinture de K. Marschall, Collection D. Hobson.
6/7 : Peinture de K. Marschall.
8 : Collection de l'auteur.
9 : J. Donelly, Collection de l'auteur.
10 : Collection C. Sauder.
11 : (En haut, à gauche) Journal *The Shipbuilder.* (En haut, à droite et au milieu) Collection K. Marschall. (En bas) Harland & Wolff.
12 : (Encadré) Avec la permission d'A. Tantum. (En haut) Collection J. Carvalho. (En bas) Journal *The Cork Examiner.*
13 : (En haut et au milieu, à gauche) *The Shipbuilder.* (En haut, à droite) F. Browne. C. Haas/Collection J. Eaton. (En bas, à droite) Collection J. Nightingale.
14 : (A gauche) Harland & Wolff. (Au milieu et à droite) Collection K. Marschall.
15 : (A gauche) Rev. F. Browne. Collection C. Haas/J. Eaton.
16 : (Encadré, en haut) Permission de Ruth Becker Blanchard. (En haut et en bas) Collection Byron. Musée de la Ville de New York.
17 : (Encadré, à gauche) Permission de la Société Historique du *Titanic.* (En haut) Harland & Wolff. (En bas) Collection Byron. Musée de la Ville de New York.

18 : Journal *The Illustrated London News.*
19 : (En haut) Peinture de K. Marschall. Collection D. Kromm. (Au milieu) Collection J. Carvalho. (En bas) *The Illustrated London News.*
20/21 : Illustrations de Pronk & Associés.
22 : (A gauche) *The Illustrated Lond News.* (En haut, à droite) Collection K. Marschall. (En bas, à droite) *The Shipbuilder.*
23 : Peinture de K. Marschall. Collection K. Smith. (Encadré) Illustration de Pronk & Associés.
24 : (En haut) Musée du Marin. Newport News. VA. (En bas) Archives Bettmann.
25 : Peinture de K. Marschall. Collection C. Hebner.
26/27 : Peinture de K. Marschall. Collection J. Ryan.
28 : Collection W. Lord.
29 : (En haut, à gauche) Collection W. Lord. (En bas, à gauche) Archives Bettmann. (Encadré, à droite) Collection D. Lynch. (A droite) Collection K. Marschall.
30 : E. Kristoff © N.G.S.
31 : Illustration de Pronk & Associés.
32 : (A gauche) Harland & Wolff. (A droite) Robert D. Ballard.
33 : E. Kristoff © N.G.S.
34 : E. Kristoff © N.G.S. (En bas) W.H.O.I.
35 : (A gauche) E. Kristoff © N.G.S. (A droite) Illustration de Pronk & Associés.
36 : Robert D. Ballard. (Encadré) Harland & Wolff.
37 : (En haut) Robert D. Ballard. (Encadré, en haut) Collection R. Lepien. (En bas) J. Bailey © N.G.S.
38 : P. Thorsvik © N.G.S.
39 : Illustration de Pronk & Associés.
40 : P. Thorsvik © N.G.S.
41 : Peinture de K. Marschall.
42 : (A gauche) Peinture de K. Marschall. (En haut, à droite) Harland & Wolff. (En bas) W.H.O.I.

43 : (En haut, à gauche) Harland & Wolff. (A droite et en bas) W.H.O.I.
44 : Peinture de K. Marschall.
45 : Peinture de K. Marschall. (Encadré, à gauche) Collection B. Sauder. (Encadré, à droite) W.H.O.I.
46 : Peinture de K. Marschall.
47 : (En haut et au milieu, à gauche) W.H.O.I. (En bas, à gauche) Illustration de Pronk & Associés. (A droite) Collection J. Carvalho.
48 : W.H.O.I.
49 : (A gauche) Peinture de K. Marschall. (Encadré, à gauche) F. Browne. Collection C. Haas/J. Eaton. (En haut, à droite) Collection K. Marschall. (En bas, à droite) W.H.O.I.
50/51 : Peinture de K. Marschall. (Photographie encadrée) W.H.O.I.
52/53 : Peinture de K. Marschall. (Photographie encadrée) W.H.O.I. (Baignoire) Harland & Wolff. (Statue) Collection H. Holtzmann.
54 : (A gauche) Collection D. Lynch. (Encadré) Musée Margaret Strong. (A droite) W.H.O.I.
55 : (A droite et encadré en bas) W.H.O.I. (Encadré en haut) F. Sangorski & G. Sutcliffe Ltd.
56/57 : Peinture de K. Marschall. (Encadrés en haut et à droite) W.H.O.I. (Encadré, en bas) Le Musée du Marin.
58/59 : Illustrations de Pronk & Associés.
60 : P. Thorsvik © N.G.S.
61 : W.H.O.I

Madison Press Books exprime ses remerciements aux personnalités suivantes pour l'aide précieuse qu'elles lui ont apportée : R. Archbold, H. Ballard, R. Barrable, C. Brunton, J. Carvalho, P. Elk, Père Gurney S.J., E. Hart, Ed Kamuda et la Société Historique du *Titanic.* Boîte Postale 53. Indian Orchard. Mass. 01151-0053. U.S.A., W. Lord, D. Lynch, J. Nightingale, J. Ryan, B., E. et C. Sauder, A. Tantum, B. Traynor.